ちくま学芸文庫

概説 人工知能

ディープラーニングから生成AIへ

丸岡 章

筑摩書房

目　次

概説 人工知能

ディープラーニングから生成 AI へ

第1講
AIが人間を超えた?!

1.1 アルファ碁の誕生

ディープラーニングが人工知能技術として定着し，アルファ碁が世界を驚かせ，最近は生成AIが連日ニュースに取りあげられている．人工知能の70年ほどの研究の歴史の中で，ブレイクスルーがこれほどまでに頻発したことはない．この10年くらいの間に，人工知能研究にパラダイムシフトが起こり，それが花開き，人工知能が人間を超え始めていると思わせるような出来事である．

将棋界には，昔から神童と呼ばれた人が何人もいた．しかし，藤井聡太には，持って生まれた才能に加えて，幼少のころからコンピュータ将棋で鍛えてきたという強みがある．この経験により，上の世代の棋士と対戦するとき，決定的な強さを発揮しているようにみえる．早い時期からゲームプログラムで鍛えるということは，将棋に限ったことではないようである．囲碁界には，プロ入り最短でメジャータイトルを勝ち取った棋士がいる．関航太郎は天元戦5番勝負で，メジャー初挑戦ながら，プロ入り4年8か月という史上最速でタイトルを奪った．関は，AI同士の対局観賞に没頭し，複雑怪奇な手の応酬を「ほとんど趣味」で見続けたという（2021年12月9日，朝日新聞「ひと」）．

これまでに，盤上の頭脳戦を戦うゲームプログラムは長足の進歩を遂げた．1997年には，アイビーエムが開発したディープブルーが当時のチェスの世界チャンピオンのガルリ・カスパロフ（Garry Kimovich Kasparov）に勝利した．将棋に関しては，プロの棋士と将棋プログラムが戦う電王戦が2012年にドワンゴの主催でスタートし，2013年には初めて現役棋士がプログラムに勝利した．しかし，その後棋士側が負け越すことが続き，2017年ドワンゴは「人間とコンピュータが同じルールで真剣勝負をする歴史的役割は終わった」と電王戦の終了を宣言した．

このように，チェスや将棋では人間はAIプログラムに太刀打ちできないことが広く知られるようになったが，まだ，囲碁だけは別格と思われていた．囲碁は，チェスや将棋と比べ桁違いに複雑なゲームであるため，コンピュータといえども次の一手を実際には計算できないと思われたからである．そのため，囲碁に関しては，プロ棋士に打ち勝つプログラムを開発するには少なくとも10年はかかるというのが当時の常識であった．しかし，2016年3月衝撃的なニュースが世界を駆け巡った．米IT企業グーグル傘下のディープマインドが開発した「アルファ碁」が当時の世界最強の棋士李世乭（イセドル）との5番勝負に勝利したのだ．この勝負にかけられた賞金は100万ドルだった．この勝負は

https://www.deepmind.google
/technologies/alphago/

に歴史的なドキュメントとしてまとめられている．特に，李世乭本人を始めとして，かかわった人たちの生の声が収録されていて興味深い．この動画は1時間30分と長いので，次にそのあらすじをまとめておく．この本を通して，大まかな訳は，著者による．

2016年3月19日，韓国，ソウルのフォーシーズンズホテルの6階で，5番勝負の第1戦は開始された．李世乭に実際に対峙するのはディープマインドの開発チームのメンバーの一人の黄士傑（アジャファン）で，傍らのモニターにアルファ碁の次の一手が映し出されると，それに従って盤面に石を置く．この対戦室の隣室では，マイケル・レドモンド（Michael Redmond）が世界中から集まった何百人もの記者や関係者にモニター画面の盤面で解説し，その様子は世界中に配信された．レドモンドは米国出身の日本棋院九段の棋士である．

対戦に先立って行われた記者会見で李世乭は，自分にとっては5-0で勝つか4-1で勝つかの勝負だと語っている．これは本人に限らず，プロ棋士の大方の予想は「李世乭が負けるはずはない」というものであった．しかし，第1戦はアルファ碁の勝利に終わり，李世乭のショックは計り知れないものがあった．迎えた第2戦では，一転して非常に時間をかけて打った．そのため，じきに喫煙のための休息をとることとなったが，ボディガードらしき人物

2，3名に付き添われて，屋上に出る様子も動画は映し出している．広い殺風景な屋上で1人煙草を吸う姿を遠景でとらえたカメラワークとBGMの効果もあって，李世乭が孤独な戦いで追い詰められている心情を見事に映し出している．李世乭が休憩から戻ってしばらくして打たれたアルファ碁の37番目の“4線カタツキ”の手は解説者を驚かせ，会場全体が一気にざわついた．人間が打つような手ではなかったからである．この第2戦もアルファ碁の勝利で終わり，局後の会見で，李世乭は37番目の手を次のように振り返った．

「アルファ碁は単に確率計算をして次の1手を決める機械に過ぎないと思っていたが，この手は機械に対する私の見方を変えた．アルファ碁は確かにクリエイティブだ．」

アルファ碁が勝利まであと1勝となったところで，ディープマインドの配慮があり，李世乭には韓国の友人の棋士数人と局後の検討を行う機会が与えられた．翌日は1日の休みが組まれていたとはいえ，局後すぐに始めた検討は翌日の朝6時まで続いた．棋士の執念と同胞の棋士を勝たせてやりたいという熱い気持ちの溢れる逸話である．1日の休日をはさんで始まった第3戦で，李世乭はなんとか乱戦に持ち込もうとしたが敗れ，3-0でアルファ碁の勝ちが確定した．しかし，5戦すると決められていたので，残りの2戦も戦うことになる．

この対戦は李世乭対アルファ碁の勝負ではあるが，もっと広く言うと，人間対機械の勝負でもあった．そのため

3-0の結果は，この勝負の行方をかたずをのんで見ていた多くの人々を落胆させ，ディープマインドのチームのメンバーでさえも何人かは複雑な心境を打ち明けた．失意の李世乭は自らの気持ちを奮い立たせ第4局に臨んだ．アルファ碁がこれまでの戦歴からは想像できないような進化を遂げていると感じていた李世乭は，アルファ碁が予想できないような手を打つことを心掛けた．そして妙手の78手目が打たれた．ホテルにはディープマインドのチームが詰めているコントロールルームがあり，李世乭が打つ手を入力してアルファ碁を操作していたが，78手目が打たれると途端にアルファ碁の勝率が急激に落ち，今度はコントロールルームがざわついた．第7講で説明するが，アルファ碁は常時勝率を計算したうえで次の一手を決めている．優勢だったアルファ碁は李世乭の78手目を境に暴走ともいえる手を連発して自滅してしまった．

第4局で李世乭は一矢を報いた．この瞬間，解説の会場は歓喜の渦に包まれ，歓声が響き渡った．1時間30分の動画で一番盛り上がった瞬間である．このように，動画はヒューマニティに溢れるストーリーに仕上がっている．李世乭は，ひとりの棋士として戦ってはいるが，人間側を代表して機械と戦うことになったつらい勝負で，1勝できたことに安堵の表情を浮かべ，局後の会見に臨んだ．

「私は隣室で大勢の人が歓声をあげているのを聞いて，アルファ碁が敗れたんだと改めて実感した．この歓声の意味することははっきりしていると思う．皆さんは3局までを見て，希望が失せ，恐怖までを感じていたのではないかと思う．この勝利は，わたしたち人間がまだ持ち直せるということを示してくれるものだ．これから AI に打ち勝つことはますます難しくなっていくと思う．今はただ，この1局に勝つことができて十分という気持ちでいる.」

最後の第5局はアルファ碁が制し，結局5番勝負はアルファ碁が4-1で勝利し，幕を下ろした．ディープマインド CEO のデミス・ハサビス（Demis Hassabis）は，今回の対戦でアルファ碁の弱点をいろいろ見つけたので，今後アルファ碁をさらに強いものに改良していきたいと述べた．

ところで，アルファ碁が李世乭を制した 2016 年の年末から翌年の年始に，囲碁界にまたもや激震が走った．ネット上の囲碁サイトにハンドルネームがマスターという棋士が参戦し，2017 年の1月4日までの1週間に 60 勝無敗という驚異的な成績を挙げたのだ．対した棋士はハンドルネームで打ってはいるが中国の柯潔（カケツ），韓国の朴廷桓（パクジョンファン）など，世界のトッププロの棋士ばかりということは公然と知れ渡っていた．その中には日本の井山裕太も含まれていた．そして，2017 年1月5日，ハサビスは自身のツイッターで，マスターはアルファ碁の進化版であると発表した．対戦した多くのプロ棋士はこの超絶進化を遂げたマスターは人間のレベルを超えていると口をそろえた．この 60 戦の棋譜はインターネットで手に入るようになり，今やプロ棋士が囲碁プログラムの棋譜を研究するのはあたりまえの時代となっている．

さらに公式戦として組まれた2017年5月の対戦で，マスターは柯潔との3番勝負に3-0で勝ち，ハサビスは「これを最後に人間との対局を終える」と述べた．将棋の場合と同様に，囲碁でもアルファ碁，アルファゼロ，マスターとバージョンアップを繰り返し，人間との対戦は幕を下ろすこととなった．ハサビスはさらにディープマインドが目指すのは囲碁プログラムの開発ではないとして，「アルファ碁は始まりにすぎない．医療，省エネ，新材料の開発で新天地を切り開いていく」と語っている．その言葉の通り，その後もAIプログラムを次々と開発しており，2020年にはタンパク質の立体構造を予測する「アルファフォールド2」を開発し，この分野の研究者を驚愕させた．「アルファフォールド2」については7.1節で説明する．

コンピュータが人間をしのぐには10年はかかると言われていた囲碁で，なぜアルファ碁やマスターなどの囲碁プログラムが短期間で世界のトッププロに勝利することができたのであろうか．これらの囲碁プログラムは驚くべき力をもつとはいえ，プログラマーが書いたプログラムであるので，人間が人間を超える強さのプログラムを書いたということになる．しかもディープマインドのチームのメンバーは，プログラムを書くことに関しては専門家であっても，棋士ではなく，囲碁の実力はプロ棋士の足元にも及ばない．人間がつくったAIプログラムが人間の能力を超える，こんな奇妙なことがなぜ起こるのであろうか．

次に，性能アップが囲碁よりはるかに簡単なブロック崩しゲームで，トレーニング（学習）により強くなっていく様子を見てみることにする．

1.2 ブロック崩しゲーム

ブロック崩しとは，画面上を移動するボールを，画面の底のパドルをレバー（ジョイスティック）で左右に動かしてはね返し，画面上部に積まれているブロックに当て崩すというもので，一人遊びゲームである．ボールは直線運動するが，壁やパドルに当たるとはね返る．ボールがブロックに当たるたびにそのブロックは消えて，消えたブロックに応じて得点する．なお，ブロック崩しのプログラムは画面の 4 フレーム分を入力してその後のボールの軌跡をスクリーン上に出力する．このように，4 フレーム分の画面を入力してボールの動きを識別できるようにしている．

ところで，アルファ碁は自分自身との対戦を膨大な回数繰り返し，超絶した強さを獲得した．同じように，ブロック崩しの学習プログラムも繰り返しプレイして強くなっていく．しかも，ブロック崩しの場合には，強くなっていく過程を実際に見ることができる．その様子は“ブロック崩し”や“breakout game”のキーワードで検索すると，インターネットの動画でいくらでも見ることができる．たとえば，

https://www.deepmind.google
/technologies/alphago/
の動画（2:10 あたりから）を見てみよう．

このゲームでは，持ち時間と持ち球が決められていて，どちらかが尽きたらゲームは終了する．初めの 100 ゲーム目くらいまでは，パドルをボールに当てることさえままならないということが続く．しかし，300 ゲーム目あたりで，人間を超えるレベルに到達する．さらに 500 ゲーム目あたりで，びっくりするようなことが起こる．ブロックの層で穴のあいた箇所にボールを集中させ，ブロックの層と上辺の壁の間の狭い空間でボールのはね返りを繰り返すようにして効果的に得点していく．

図 1.1 の（a）はスタートの画面である．（b）にあるように，初めはブロックの層の底からブロックを崩していくが，いったん層に穴があくと，そこを狙い（c）のように効率よく得点するようになる．このブロック崩しでもアルファ碁と同じようなことが起こる．ブロック崩しプログラムは，すぐに，このプログラムを開発したプログラマーより上手にプレイするようになる．

囲碁でもブロック崩しのゲームでも，人は対戦を繰り返すとだんだん強くなる．同じように，これらのゲームプログラムも対戦を繰り返すとだんだん強くなり，やがては人間を凌駕する．この本では，このように自らトレーニングを繰り返すプログラムが，最近の人工知能技術に革命と呼んでもいいほどの大きな進展をもたらしていることを説明

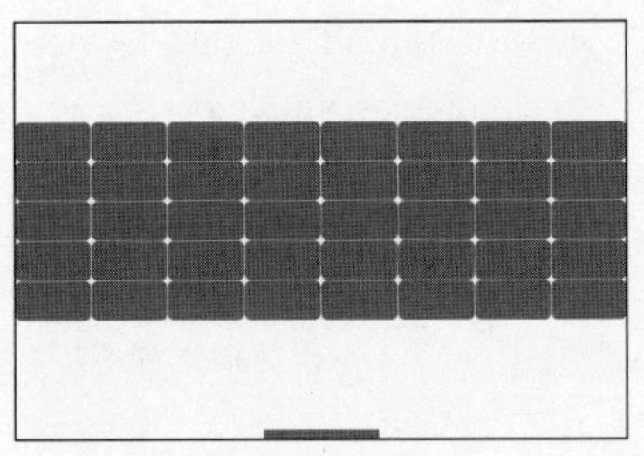

(a) スタート

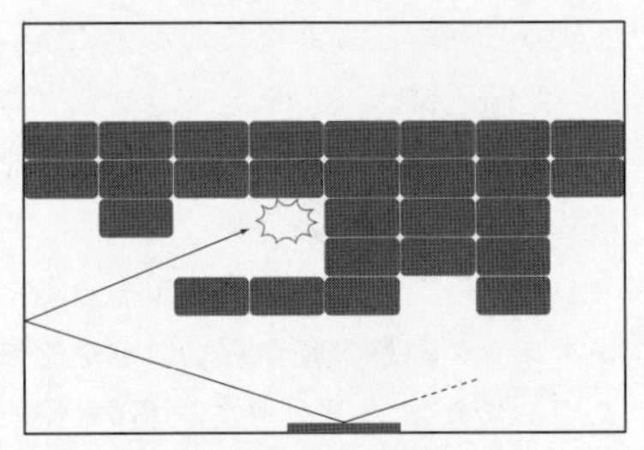

(b) 300 ゲーム目

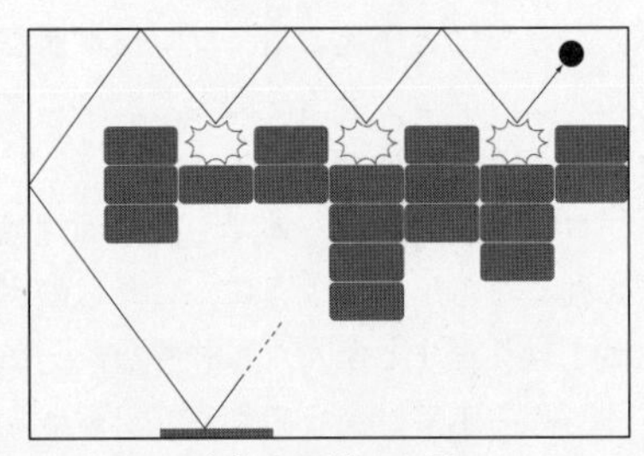

(c) 500 ゲーム目

図 1.1 ブロック崩し

し，さらに，“だんだん強くなる”ことの根っこのところにある仕組みを解き明かす．このトレーニングのことを学習とも呼ぶ．

この仕組みが解明されたのは，70年ほどの人工知能研究の成果である．そこで，まずはAI研究の歴史をたどってみよう．

第2講
人工知能研究の歴史

2.1　人工知能研究におけるパラダイムシフト

数学の発展の歴史を見てみると，最大公約数を求めるユークリッドの互除法は紀元前300年頃，数学者であり，天文学者でもあったユークリッドにより考え出された．一方，物理学では，ニュートン力学は17世紀後半にニュートンによってその基礎が築かれた．これらの長い歴史を持つ他の分野と比べると，人工知能研究には70年ほどの歴史しかなく，始まったばかりともいえる若い学問である．また，研究の歴史が浅いだけでなく，その研究の道のりは特異なものであった．

人工知能の研究が始まってから60年間は人間がAIプログラムを書いてきた．人工知能研究は知能に関する研究であり，人間は知能という尺度では絶対的に優位なポジションにいる．一方，コンピュータは，人工知能研究が開始した時期に開発が始まり，大きなポテンシャルを感じさせる夢のマシーンであった．このような時代背景もあって，人間がAIプログラムを書き，それをコンピュータで動かすのは，自然な流れであった．この流れは人工知能研究のメインストリームとなって半世紀以上にわたって続くことなる．最近の 10 年間に起こったパラダイムシフトとは，AI プログラムをつくる主役が人間から学習プログラムへと変わった大転換であり，この捉え方がこの本の核心となるものである．

2.2 人工知能研究の 4 つのブーム

これまで，第 1 次 AI ブームが 1950 年代に，第 2 次が 1970 年代に，第 3 次が 1990 年代にそれぞれ始まり，注目された．さらに，第 4 次 AI ブームが 2022 年に始まっている．人工知能研究の歴史は，浮き沈みの繰り返しの歴史であった．何かのきっかけが研究者をひきつけ，それが業界を含めた世の中全体にセンセーションを引き起こし，これが研究資金を生み出し，研究の勢いが加速されるが，やがては**冬の時代**と呼ばれる沈滞期に入るというサイクルが繰り返された．ただ，第 3 次 AI ブームだけは，冬の時代を経ずに勢いが続き，2022 年に始まった次の第 4 次 AI ブームを迎え，現在に至っている．

人工知能の歴史の中で，第 3 次 AI ブーム以降の 30 年間に 3 つのブレイクスルーが起きている．ディープラーニングとアルファ碁，それにトランスフォーマーをベースとする最近の生成 AI である．これらの発明により，人工知能研究のそれまでの 60 年間の成果は置き換えられたといっても言い過ぎではない．これらの発明はいずれも偶然がもたらした発見（セレンディピティ）とは違っていた．それまでの 60 年にわたる試行錯誤を経て，パラダイムシフトが起こったと考えられる．これら3つのブレイクスルーはこのパラダイムシフトの流れの中に位置づけることができる．

ディープラーニングが世の中に広く知られるようになったのは，そのネットワークの基本構造が1998年の論文で発表された後，2012年の画像コンペティションまで，14年を要した．同じように，生成AIの場合も今日の隆盛を見るまでにはタイムラグがあった．生成AIの基本アーキテクチャであるトランスフォーマーが2017年の論文で発表されてから，2022年のChatGPTの公開までの5年間である．いつの時代も大きなイノベーションが生み出された後，それが世の中に浸透するまでには時間がかかるようだ．

次の節からは，第1次から第4次までのブームについてそれぞれ説明する．

2.3 第1次のAIブーム（1950年代〜）

1950年代のはじめは人工知能研究が始動したばかりの時代である．1952年の英国公共放送BBCは“Can Automatic Calculating Machines Be Said To Think?”というタイトルの討論会を放送した．参加したのは，アラン・チューリング（Alan Turing，情報科学者），リチャード・ブレイスウェイト（Richard Braithwaite，哲学者），ジェフリー・ジェファーソン（Geoffrey Jefferson，脳神経外科医），マックス・ニューマン（Max Newman,

数学者）の4名であった．公共放送が人工知能について取りあげた最初のものである．当時，“人工知能”という言葉は使われていなかったので，この討論会では代わりに**“考える機械”**（thinking machine）という言葉が使われた．70年以上も前に，一般リスナー向けに人工知能とは何かという討論会が企画・立案されるという，英国文化の奥深さに驚かされる．なお，人工知能という言葉がはじめて使われたのは，1956年に開催された人工知能に関するダートマス会議においてである．

当時は，人工知能に興味をもつ研究者は世界中を見渡しても一握りしかおらず，人工知能に関してきっちり論文として取りまとめられたものは，チューリングにより1950年に発表された“Computing Machinery and Intelligence”だけであった．チューリングは，底知れない洞察力を持った巨人であり，人工知能の研究だけでなく，現代のコンピュータのモデルであるチューリング機械を提唱した．また，第2次世界大戦中にナチスドイツの暗号エニグマを解読し，英国を救ったことでもよく知られている．

BBCの討論会でチューリングは何を語ったかを見てみよう．人間が何かを考えているとき，脳の中では何が起こっているのかという根本問題は，今でも解明されていないむずかしい問題であるが，70年以上も前のこの討論会で，すでにこの根本問題が取り上げられている．この問いに対して，チューリングは比喩を使って脳の動きの様子を巧みに説明している．強調していることは単純なことで，“考える”という言葉が持っている創造性とか独創性などのイメージとは正反対の，単純で機械的なことの繰り返しが脳の中では起きていると言っている．機械的な繰り返しをチューリングは，“buzzing”という言葉で表しているのが印象深い．“buzzing”はハチのブンブンという羽音を表すが，たとえば，パーティー会場で大勢の人がガヤガヤしている様子を表すときも使われる．脳のニューロンが周りのニューロンとの信号のやり取りを繰り返しているイメージを伝えようとしているように思われる．同じように，次のような比喩も使って説明している．

> As soon as one can see the cause and effect working themselves out in the brain, one regards it as not be thinking, but a sort of unimaginative donkey-work.
>
> 脳の中の動きを支配している因果関係がわかってしまうと，脳が考えているとは見なせず，ただ単純でおもしろみのないことの繰り返しにしか見えない．

また，考える機械をつくる上でとても重要なことは学習であると強調している．そして，学習が進むと次の学習がさらにやりやすくなる現象を“snowball effect”（雪玉効果）と呼んで指摘している．これは雪の玉が転がり落ちるときの様子から，物事のサイズや重大さが加速しながら増していくことを比喩的に表したものだ．第８講トランスフォーマーでは，この効果を使った，事前学習という自然言語処理の技法を説明するが，考える機械の学習にとってエッセンシャルなものとして雪玉効果に注目しているチューリングの先見性には驚かされる．

人間が何かを考えているとき脳で起こっていることをイメージできるようになっても，考える機械をつくることにはつながらない．そこで，チューリングは，考える機械が満たすべき条件を具体的に与えて人工知能研究の目標を明確にした．その条件が，**チューリングテスト**にパスするというものである．このテストには，判定者とふたりの被験者の3者が登場する．被験者は一方が人間でもう一方が機械であり，判定者は人間である．3人はそれぞれ別々の部屋にいる．判定者は，ふたりの被験者のどちらが人間でどちらが機械かの判定を求められる．この判定を下すために，判定者は被験者に自由に問い合わせることができる．見た目や声色から判定できないように，問い合わせには電信を使うとした．このような状況のもとで，判定者が正しい判定を下せないとき，つまり，機械が人間のように応答して判定者が人間と区別することができなかったとき，その機械はチューリングテストをパスしたとした．“考える”とは何かを突き詰めていくのではなく，人間と機械の区別がつかないのであれば，その機械は考えているとみなしてよいというのがチューリングの主張である．

チューリングのこの提唱後の70年あまりを振り返ると，人工知能研究は確かに人間のように振る舞うものを追求してきた．しかし，画像認識，囲碁，機械翻訳など，特定の分野に限定すると，人工知能研究の成果が次々と人間を凌駕するようになってきている．そのため，チューリングテストがそのままの形で人工知能研究の規範であり続けているわけではない．しかし，これまでの歴史を振り返ると，人工知能研究は大筋ではチューリングの方向づけたものに沿って歩んできたと言える．

第1次のAIブームは，記号や論理をベースとした“記号と論理のAI”と，脳の働きに学ぶ“ニューラルAI”の間で激しい路線論争が繰り広げられた時期でもあった．ニューラルAIを代表したのは，パーセプトロンを精力的に研究していたフランク・ローゼンブラット（Frank Rosenblatt）であった．ローゼンブラットのパーセプトロンは1層のニューラルネットと呼ばれるものである．このパーセプトロンの計算能力は限定されたものでしかないと異を唱えたのが，マーヴィン・ミンスキー（Marvin Minsky）である．ミンスキーとローゼンブラットは学会などの公開の場で論争を続けたが，1969年にミンスキーがセイモア・パパート（Seymour Papert）との共著で，XORと表される簡単な関数がローゼンブラットのパーセプトロンでは計算できないことを証明した本を出版した．この本の出版はローゼンブラットの研究の息の根を止めることとなった．

ローゼンブラットはONR（Office of Naval Research，米国海軍海事技術本部）から研究費の支援を受けて，パーセプトロンを試作していた．神経細胞（ニューロン）間の重みの値を設定するのに，ポテンショメーター（potentiometer，可変抵抗器）を電動モーターを使って回転させて制御するという仕組みだったため，1層の簡単なネットワークであるにもかかわらずパーセプトロンが1つの部屋を占めるほどの大がかりなものになっていた．研究の継続にはONRの支援がどうしても必要であったが，それも途絶え，その上，1971年ローゼンブラットがボート遊びの最中に事故で死亡するという悲劇も重なって，カリスマ性のあるローゼンブラットがリードしていたニューラルネットワークAIは一挙に勢いを失うこととなった．

一般に，人工知能研究の趨勢はいろいろの要因が重なり合いながら決まっていく．1958年7月8日の米国ニューヨーク・タイムズ紙はローゼンブラットのパーセプトロンを次のように伝えた．

> The Navy revealed the embryo of electronic computer today to walk, see, reproduce itself and be conscious of its existence.

この記事では，パーセプトロンはまだ試作機に過ぎなかったので，“embryo”（胎児）と呼んでいる．歩く，見るだけでなく，自己増殖まですると言っている．明らかに誇張された記事であるが，世間の注目を集め，一時は研究資金も潤沢であった．ミンスキーとの論争では有効な反論ができなかったが，今振り返ると，ローゼンブラットの目指す方向の方が正しかったことになる．また，ミンスキーのパーセプトロンではXORが計算できないという証明は，ニューラルネットが1層という前提で成り立つ論理である．2層だとXORを計算することができる（注3）．なお，ニューラルネットによるXORの計算については，4.1節で説明する．

ローゼンブラットもミンスキーもニューラルネットを多層にすることを思い描いていないということは考えにくい．ニューラルネットとは脳のニューロンのネットワークを模した数学的なモデルである．もっとも当時の技術では，1層のパーセプトロンでも1つの部屋が一杯になったので，現実的には多層ニューラルネットは実現できなかったのだろう．このようにいろいろの要因が重なってパーセプトロンが失速すると，第1次のAIブームはその勢いを失い，冬の時代に突入することになる．

2.4 第2次のAIブーム（1970年代〜）

ニューヨークタイムズ紙までもが喧伝したパーセプトロン失速の影響は色濃く残り，代わりに記号や論理のAIが再び注目を集めるようになった．さらに，当時のコンピュータ技術の進展が，プログラミングと相性の良い記号や論理をベースとしたAIを後押しして弾みがついた．そして，記号や論理のAIを中心とした第2次のAIブームが起こった．第2次のAIブームを後押ししたものに1982年にスタートした日本の国家プロジェクト『第5世代コンピュータ』がある．このプロジェクトは1992年まで続き，総額で570億円が投じられた．また，「第5世代コンピュータ」に触発されて米国と英国でも同様のプロジェクトがスタートした．しかし，第2次のAIブームの期間を通して，少数ではあったが，根強くニューラルネットをモデルにした研究を続けていたグループがあった．そのグループが，後で爆発的な第3次のAIブームを引き起こす立役者となることになる．

第2次のAIブームの大きな成果はエキスパートシステムである．エキスパートシステムとは応答システムで，問いかけに対してエキスパートレベルの質の高い答えを返してくれるというものである．ここでは，細菌感染の診断をするエキスパートとしてよく知られたMYCINを取り上げる．

図2.1は，MYCINのプログラムは推論エンジンの部分と知識ベースの部分から構成されることを示すものである．知識ベースは，細菌感染に関するいろいろのルール（if-thenの形式で表される）や事実からなる．この部分は熟練した医師から聞き取りして専門知識をデータベース化してつくる．そのため膨大な労力が必要となる．一方，推論エンジンは知識ベースを制御するもので，知識ベースからルールや事実を取り込んで，新しい事実やルールをつくり，それを知識ベースに追加する．その簡単な実行例を次に示す．

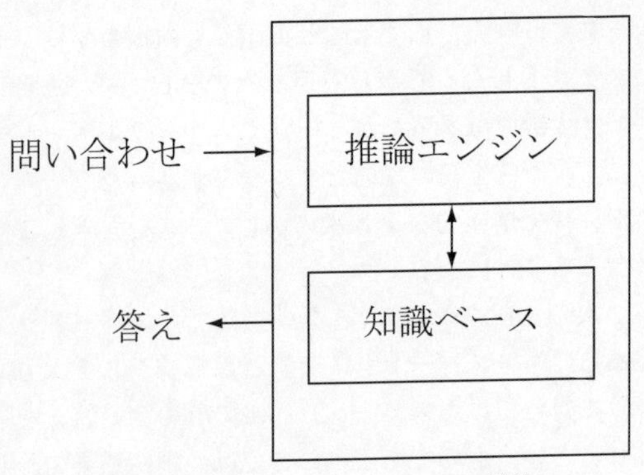

図2.1　エキスパートシステムの構造

if A	then B	(ルール1)
if B	then C	(ルール2)
	A	(事実)
	C	(新しい事実)

この実行例は，“$A \to B$”と“$B \to C$”から新しいルール“$A \to C$”をつくり，“A”と“$A \to C$”から新しい事実“C”をつくるというような推論である．ここで，A, B, C は患者や細菌感染に関する診断上の具体的な条件である．このような働きをするMYCINでは，その性能は細菌感染が専門ではない医師のレベルは超えたが，専門の医師のレベルまでには到達できなかった．

MYCINに限らず，この時期に開発されたエキスパートシステムで現在も実際に使われているシステムは存在しない．このようにして，第2次のAIブームもやがては冬の時代を迎えることとなった．

2.5 第3次のAIブーム（1990年代～）

第2次ブームの時代に細々と研究が続けられていたニューラルネットワークAIが第3次ブームに入って，突然に花開いた．この期間の動向については，パラダイムシフトのきっかけとなった2012年の画像コンペティションで優勝したニューラルネットであるAlexNetを中心にして振り返る．

AlexNetの萌芽となる2つの研究がある．1つは1980年の福島邦彦（所属はNHK放送科学基礎研究所，現在のNHK放送技術研究所）のネオコグニトロンであり，もう1つは1998年のヤン・ルカン（Yann LeCun）らの小切手のサインを認証するニューラルネットである．ネオコグニトロンは多層のニューラルネットであり，その後のニューラルネットのベースとなる**畳み込みニューラルネット**と呼ばれる方式を新しく提案したものである．ただ，1980年代後半に提案された**バックプロパゲーション**は使われていない．このバックプロパゲーションとはニューロン間の結合の強さを調整する計算の手順である．一方，1998年のルカンらのニューラルネットは，画像認識する現在のニューラルネットの基本的な技法はすべて組み込まれているものである．特に，バックプロパゲーションによるトレーニングが初めて成功した例でもある．ルカンらは，小切手のサインの真偽の判定をする学習プログラムを開発し，しかも，このシステムを米国の銀行に導入して，全米の10%に当たる小切手のサインの認証をするなど，実用化にも成功している．このルカンらの方式はディープラーニング（deep learning）と呼ばれるようになり，人工知能の基盤技術として確立した．

ルカンらのニューラルネットとAlexNetとの間には，ネットワークの規模や複雑さに大きな違いがある．開発された時期が違うため，トレーニングのための画像データの量や質に違いがあるからである．1998年は，インターネットから膨大な画像データを取り込める時代ではなかった．そのため，ルカンらのニューラルネットでは，研究対象を手書きのサインの認証にしたという事情もある．手書きのサインであれば，周りの研究者に手助けしてもらえば，トレーニングデータを集めることができたからである．一方，AlexNetの2012年はすでに画像データベースImageNetが公開されていて，トレーニングデータで困ることはなかった．

ところで，エキスパートシステムに代表される第2次AIブームとそれに続く第3次AIブーム，第4次AIブームの間には，AIプログラムが扱うデータそのものに根本的な違いがある．その違いをはっきりさせるために，これまで記号と論理のAIと呼ばれていたものをシンボリックAI（symbolic AI）と呼び，それ以降のものをサブシンボリックAI（subsymbolic AI）と呼んで区別することにする．

第2次AIブームを象徴するのがエキスパートシステムであるが，これは“if A then B”などのタイプのルールで動く．このルールのAやBは専門家（エキスパート）が定めた条件や命題である．このように，注目する条件や命題にシンボルを自由に割り当てて表し，推論を展開する．このようなタイプのAIがシンボリックAIである．一方，第3次AIブーム以降のAIが対象とするものはシンボルまではいかない生データである．この生データはサブシンボルとして扱われる．subsymbolの接頭辞subは，この場合は下位を意味し，subsymbolはシンボルよりも下位の情報表現を表す．たとえば，2進系列として表された画像がそうである．この2進系列の個々の値は画素を表すものであり，AIは画素一つひとつを解釈するものではない．同じように，アルファ碁の場合は，盤面が生データとなる．この生データとは，19×19の盤面の各格子点に対して，黒石，白石，あるいは置かれた石が無いの3通りのうちの一つを指定するパタンである．さらに，トランスフォーマーの論文では，単語は正または負の数値の系列（系列の長さは，512）として表される．この系列はワードエンベーディングと呼ばれる．人間にとって個々の単語ははっきりした意味をもっているが，AIはワードエンベーディングの個々の数値を解釈する訳ではない．このように，サブシンボリックAIでは，画像であれ，盤面であ

表2.1

項目＼AIタイプ	シンボリック AI	サブシンボリック AI
情報表現のベース	記号	生データ
計算の拠り所	論理や if-then ルール	学習
計算の正当性	言葉による説明や証明	データに基づいた評価

れ，単語であれ，生データが一括してAIプログラムに入力され，AIプログラムはその入力に対して計算を実行し，計算結果を出力する．

ここで，シンボリック AI とサブシンボリック AI の研究のアプローチの違いを表としてまとめておく（表2.1）．

この表を簡単に見ておこう．シンボリック AI の方は，情報表現の基本となるものが記号であり，記号が何を意味するかもはっきりしている．ルールを適用して得られる計算の結果は，その意味を説明したり，その結果が導かれることを証明したりすることができる．一方，サブシンボリック AI の場合は，入力されるのが生データであるため，計算結果を説明したり，証明することはできない．サブシンボリック AI の場合の計算に対応するものは，学習となるが，これはチューリングの言う donkey-work の繰り返しで，一つひとつのステップを解釈できるものではない．そのため，学習の結果が最初に設定した目標を達成しているかどうかは，客観的なデータに基づいて検証しなければならない．

次に，実際にどう検証されるのかを，具体例で見ていこう．画像認識の学習プログラムの場合は，ImageNetという画像データベースがあるので，これを使って正当性を検証することができる．アルファ碁の場合は，最強の世界チャンピオンとの実戦で勝利しているので，何よりも確かな性能チェックとなる．また，トランスフォーマーの翻訳の質については，プロの翻訳者に頼むのが最も確かな方法であるが，実際に頼むということはない．テキストの量にもよるが，数か月という時間がかかり，費用もかさむからである．実際には，BLEUスコア（Bilingual Evaluation Understudy score）を使って評価し，これまでの翻訳システムの性能を超えたことをスコアを示して検証している．このBLEUは，機械翻訳では標準的な指標として使われるものである．質の高い対訳コーパスを用意して，機械翻訳された文に対して，対訳コーパスの文と翻訳結果の文との類似度を，同じ単語が現れる頻度や順序などからスコアとして計算する．このように，サブシンボリックAIの論文では，結果の正当性を示す客観的なデータが求められる．

ところで，米国計算機学会がチューリングの業績を称えて創設したチューリング賞というものがある．この賞はコンピュータサイエンス分野のノーベル賞と見なされている賞であり，グーグルのサポートにより100万ドルの賞金が与えられる．2018年のチューリング賞はディープラーニングに関する一連の業績により，ヨシュア・ベンジオ（Yoshua Benngio），ジェフリー・ヒントン（Geoffrey Hinton），ヤン・ルカンの3氏に授与された．チューリングが最初の人工知能の論文を1950年に発表してから70年近くたって，ディープラーニングの業績に対してチューリング賞が授与された．人工知能研究の歴史の裏側で目に見えない大きな歯車が回っているようで，感慨深いものがある．これらの3名は大学に所属していたが，ヒントンはグーグルに迎え入れられ，ニューヨーク大学のルカンはフェイスブックも兼務するようになった．これらシニアな研究者に限らず，人工知能を学んだ大学院生も卒業後，ビッグ・テックに就職し，大学と変わらないような自由な研究生活を享受している人が多い．どの企業もエポックメイキングなアイディアが人工知能の研究開発の生命線ということがよくわかっていて，有望な人材の争奪戦は熾烈を極めており，人工知能研究の最前戦の競争の厳しさを感じとることができる．

2.6　第4次のAIブーム（2022年〜）

第4次のAIブームは，2022年11月にオープンAIがChatGPTを公開後，たちまちにして訪れた．公開後，2か月でユーザーが1億人を超えたことから「史上最速で普及したアプリ」とも言われ，マスコミは連日この対話型AIを報じた．

ChatGPT開発の基盤となった大規模言語モデルとは，あらかじめ大量の自然言語のテキストで学習しておき，学習で読み込んだ文をもとにして，次に来る単語を次々と予測するものである．この予測機能は文に限った話ではなく，画像や音楽やプログラムコードまでに広げても，適当に定式化してやると，次を予測することができるようになる．そして，次を予測するということは，生成する能力にもつながる．この生成する能力こそが，これまで人間が独り占めしていた創作の領域に AI が踏み込んでくる可能性をいやおうなしに意識させるものである．しかもこの AI の創作はもとはと言えば，インターネットで大量に収集した情報を基にしたものである．

この生成する能力をもつ AI は，ChatGPT の公開を契機に，生成 AI が持つ社会的なリスクに世間の目を向けさせた．そして，ついに，オープン AI が，「人より賢い AI は非常に危険で，人類を無力化させたり，絶滅させたりする可能性がある」とした上で，「AI のリスクを理解し，軽減することを目的」としたチームを編成したと発表するまでになった（2023 年 7 月 7 日，朝日新聞）．このように，ChatGPT を開発した会社が公開から 1 年もたたないうちに AI リスクの検討をしていることを発表せざるを得ないということになってしまった．

第 4 次 AI ブームは始まったばかりであり，今，その歴史がつくられつつある．現時点では，第 4 次 AI ブームの歴史として残るものをまとめることはむずかしい．しかし，ChatGPT を契機とした生成 AI の世間に対するインパクトは大きく，しばらくは生成 AI を中心に展開されるであろうことは予測できる．

2.7 人工知能研究をめぐるサイドストーリー

人工知能研究の大きな流れも，個々の研究者の活動が形づくっている．この節では，第3次AIブーム以降に登場し，節目で大きな影響を与えてきた何人かに焦点を合わせ，個人の活動を紹介する．

2013年3月，グーグルはトロント大学の学内ベンチャーDNNresearchを買収した．このベンチャーは，ヒントンと2人の大学院生クリジェフスキー（Alex Krizhevsky and）とサツケバー（Ilya Sutskever）の3人で前年の2012年に起業したもので，何かを製造しているというようなものではなかった．買収後，3人はグーグルに雇用されたが，ヒントンは1日の半分はグーグルで，残り半分はトロント大学の教授として働くことが許されているという，破格の処遇であった．同じようなことが，6か月後にも起こった．フェイスブックが，Facebook AI Researchを新しく立ち上げ，ルカンを所長として迎え入れたのである．ルカンの場合もそれまでのニューヨーク大学は兼務するという処遇である．この2つの動きは，言うまでもなく，ビッグ・テックによる人材争奪戦が短期間に立て続けに起きたものだ．

これらの動きの前年の2012年の画像認識のコンペティションで，ディープラーニングを使ったヒントンのチームが優勝したこと，そして，このチームは1998年にルカンらが発表した畳み込みニューラルネットワークを用いていることを振り返ると，グーグルもフェイスブックもAI業界の将来の流れを的確に読み取っていることがわかる．また，大学の籍はそのままにして処遇しているところも両者に共通している．この二人にベンジオを加えた3名に対して2018年にチューリング賞が授与されることになるのだが，ベンジオは，何かのインタビューで，自分にとって大学に残って研究することこそが大切なことと言った後，自分も企業に移ればリッチになれるとジョーク交じりに語っている．

ところで，グーグルの，大学ベンチャー買収はヒントン側から仕掛け，オークションで競り落とされたものであった．DNNresearchの売却を考えていたヒントンは，弁護士に相談していたが，提示されたのが，代理人を立てるという案とオークションをやるという案であった．ヒントンは後者を選んだ．カンファランスが開催されていたのに合わせて，自ら米国中西部，タホー湖の湖畔のハラータワーの731号室に2人の大学院生と陣取り，Gmailによりオークションをするという思い切った決断をした．オークションに参加したのは，バイドゥ（Baidu），グーグル，マイクロソフト，それにディープマインドの4社である．参加する企業名は伏せたままで，ヒントンは入札する日時をその都度メールで伝えるというルールを決めたうえで，オークションが行われた．あらかじめよく練られたオークションであった．ヒントン先生，なかなかしたたかである．バイドゥはグーグルに次ぐシェアをもつ，検索エンジンを提供する中国の会社であり，ディープマインドはこのオークションの3年後の2016年にアルファ碁で世界を驚かせるあのスタートアップである．ただ，ディープマインドは他の3社と比べ資金力に大きな違いがあり，オークションでは早々に敗退した．結局，このオークションはグーグルが4400万ドル（当時の為替レートで円換算すると約43億円）で競り落とした．

このように，グーグルに売却した後，ヒントンはグーグルに10年以上在籍した．しかし，そのヒントンが，グーグルを去るというニュースが流れてきた．これは，私にとってとてもショッキングなものであった．移籍を伝える2023年5月1日のヒントンのツイートは以下のとおりである．

> In the NYT today, Cade Metz implies that I left Google so that I could criticize Google. Actually, I left so that I could talk about the danger of AI without considerfing how this impacts Google. Google has acted very responsibly.

このツイートに出てくるケイド・メッツ（Cade Metz）はニューヨークタイムズの人工知能関連を専門とするライターである．同じ日に，ニューヨークタイムズはメッツによるヒントンの長いインタビュー記事を発表している．ChatGPTをきっかけとした生成AIに対する世間の関心の高まりが，ヒントンのインタビュー記事を企画させることとなった．インタビューで，ヒントンはAIのこれからについて自由に発言するためにグーグルを去ることにしたと述べているが，このニュースは日本の新聞でも紹介されている．ヒントンのツイートの文面をよく読み取ってほしい．グーグルに関して残した現在完了形のメッセージもなかなかと思う．なにより，ニューラルネットワークが人工知能研究のメインストリームから外れていた時代から，一貫して研究を続けてきた信念の人，ヒントンが発するツイートには重いものがある．

ニューヨークタイムズのインタビューはトロントのヒントンの自宅のダイニングルームで行われた．ヒントンの苦しい胸の内は「私がやらなかったとしても，誰かがやっていただろう」という，AI研究に捧げた自身の生涯を振り返る，苦渋に満ちた言葉にも表れている．

検索エンジンで世界をリードしてきたグーグルは，2022年11月のChatGPTのリリースにより，コアビジネスの基盤が脅かされるようになった．ヒントン自身，この巨大なビッグ・テックの中にいて，この競争はもうだれも止めることができないところまで来ていると実感したのであろう．オープンAIがChatGPTをリリースして以来，AIに関わるリーダーや技術者たちがAI技術が人類に深刻なリスクをもたらすと警鐘をならし，署名活動などをしてきた．しかし，これらの活動とは距離を置いていたヒントンは，グーグルを辞したうえで，5月1日のツイートを発した．“立つ鳥跡を濁さず”は洋の東西を問わずであることもうかがい知ることができる．これが，長年世話になったグーグルを去るにあたってのヒントンの流儀のようである．なお，ヒントンは，最近のインタビューでAI技術の社会的なリスクについて，次のようにコメントしている（テクノロジーに関する月刊誌Wired（2023-05-08）に掲載）．

> A lot of the headlines have been saying that I think it should be stopped now-and I've never said that, he says. First of all, I don't think that's possible, and I think we should continue to develop it because it could do wonderful things. But we should put equal effort into mitigating or preventing the possible bad consequences.

AIの開発を止めるというのではなく，開発に向けるのと同程度の努力をリスクの回避に向けるべきとしている．ヒントンらしい，ポイントをついた現実的なコメントと思う．

2.8 この本の構成

この節では，次の第3講以降の構成について説明する．人工知能研究では，人間の知能をコンピュータ上に実現することを目指す．そのため，まず，人間がいかにしてさまざまな判断を下しているかをつかんでおく必要がある．このことに関して，人間はシステム1とシステム2と呼ばれるものに基づいて判断しているというカーネマンの理論がある．第3講では，この理論について説明する．学習プログラムで鍵となるのは，学習を進める仕組みである．

第4講では，この仕組みをディープラーニングに焦点を当てて説明する．第5講では，この本の至るところに出てくる学習やトレーニングの手法やそこで用いるデータについて取りまとめる．

これまで述べてきたように，パラダイムシフトにより，畳み込みニューラルネットワークによる画像認識，世界のトップ棋士を打ち負かした囲碁プログラム，機械翻訳するトランスフォーマーの3つのブレイクスルーが誕生した．第6講，第7講，第8講では，その3つのブレイクスルーのそれぞれの成果について説明する．第9講では，トランスフォーマーが生み出した大規模言語モデルとビジョントランスフォーマーについて説明する．最後に，第10講では，ChatGPT を契機として注目が集まっている現在進行中の生成 AI の研究と今後の人工知能の行方について考える．

第3講
脳が働き，人が振る舞う

3.1 カーネマンのシステム1とシステム2

人工知能研究では，知能をコンピュータ上に実現することを目指す．知能を生み出している脳は人を動かしてもいる．そのため，人の行動も人工知能研究と密接に結びついているテーマである．そこで，この講では人工知能研究の視点から人の行動を取り上げる．なお，第10講の今後の人工知能研究の行方のところでも，この第3講の内容に触れる．

人の日常の生活で下す判断はとても多様だ．車の運転中にだれかが突然飛び出して来たら，とっさにハンドルを切り，ブレーキをかける．すべてを一瞬に無意識のうちに行う．一方，自宅を新築すると決めると，どんな家にするか，場所はどこにするか，資金はどうするかを考える．大きな買い物なので，じっくり時間をかけて，慎重に考える．この例のように，わたしたちの判断や決定には2つのモードのものがある．もし突然の飛び出しに時間をかけて対処し，自宅の新築について一瞬のうちに判断してしまうというように，使うモードが逆転してしまったら悲惨なことになる．実際は，2つのモードは無意識のうちに正しく切り換えられる．

心理学者のダニエル・カーネマン（Daniel Kahneman）はこの2つのモードについて研究した．それをまとめた著書『Thinking, Fast and Slow』は2011年に出版され，ベストセラーとなった．なお，カーネマンは2002年にノーベル賞を受賞している．カーネマンはこの無意識のモードと意識のあるモードを，それぞれ**システム1**と**システム2**と呼んだ．

システム1もシステム2も単独では，判断や結論を下す能力に限界があり完璧ではない．カーネマンは，システム1もシステム2も単独では限界があるため，誤った判断を下してしまうことに注目して，正しい判断を下すようにすべきとしている．

具体的な問題を取りあげてみる．

$$2+2=?$$

これを見ての反応はどうであろうか．大部分の人は“4”が浮かんでくる．“4”を思い浮かべないでいるほうがむずかしい．では，

$$17\times 24=?$$

は，どうであろうか．この場合は，正解の“408”が思い浮かぶことはない．しかし，掛け算の手順に従って解こうとすれば，正解が得られるということはもちろんわかる．最初の問題では，システム1が働き，“4”が浮かび，2番目の問題では，システム2が掛け算の手順に従って計算すれば，“408”を返してくれる．

カーネマンは，システム１とシステム２が扱う問題についていくつか具体例を挙げている．その中からいくつかピックアップして，次にまとめておく．

システム１：瞬時に無意識のうちに下す判断で，次のような例が含まれる：

(a) 周囲の騒音の中から特徴的なもののいくつかに注意を向ける．

(b) $2+2=?$ に答える．

(c) すいている道路で運転する．

(d) チェスの名人が次の一手を考える．

システム２：意識して判断を下すときに用いるもので，判断を下すまでに時間がかかる：

(a) サーカスの会場で，道化師を探して注意を向ける．

(b) $17\times 24=?$ に答える．

(c) 狭い駐車場で駐車する．

(d) ２つの洗濯機からお値打ちな方を選ぶ．

このリストには，似たような課題を並べて，同じような課題でもシステム１が働く場合とシステム２が働く場合に分かれることを示し，両者の違いがはっきりとわかるようにしている．(a) は，システム１の場合もシステム２の場合も大勢の人が集まる騒音下の環境である．システム１の (a) は，周囲の騒音を漠然と聞いている状況で，無意識のうちにその中から特徴的な音をいくつか聞き分けている．一方，システム２の (a) では，意識して特定の対象道化師を探そうとしている．残りの (b)，(c)，(d) についても同じような違いがある．

2つのシステムは目を覚ましているときはどちらも常時働いているが，次のように役割分担して働く．通常モードでは，システム1は周りで起こっていることに関する印象やそれに対して起こすべき行動についての情報をシステム2に送る．一方，システム2は常時システム1から送られてくる情報をウォッチしていて，送られてきた情報を少し修正することもあるが，大部分はそのまま受け入れ，自分が信じることとしてその情報を記憶したり，受け入れたことに対して意識して行動を起こす．一方，非通常モード（通常のルーティンから外れたことが起こった場合など）では，システム2は問題解決のフェーズに入り，時間をかけて慎重に検討し対処する．

システム1とシステム2という観点から，駅に着いた後，電車に乗るまでの日常の具体的な行動を見てみよう．1つ上の階に上がるのに階段とエスカレータのどちらかを選ぶ，人混みの中に顔見知りがいたので声をかける，自動改札のレーンの中から1つを選ぶ，ホームのベンチの空いている席の1つを選び座る．これらすべての判断ではシステム1が働く．電車に乗り込んだ後，座席で商談のプレゼンテーションの原稿の見直しを始めたらシステム2が働く．

なお，システム1の判断ができるのは，長い時間をかけて学習してきたからである．しかし，なぜそう判断したかを説明することもできない．誰もがイヌかネコかは一瞬で判断できるにもかかわらず，判断の根拠を説明することはできない．イヌかネコかの判断はできて当たり前で，昔これを学習したことも，判断できるようになった瞬間のこともみんな忘れている．

システム１が働くためには，もう１つ前提が必要だ．常識という巨大な知識ベースが脳に記憶されていて，判断に必要となる情報が瞬時に呼び出せるという前提である．この場合の記憶の呼び出しは連想記憶による．マービン・ミンスキー（Marvin Minsky）は連想記憶による呼び出しを，たとえ話を使って次のように説明している（注１）．

> 自転車を修理するとしよう．修理を始める前に両手に赤ペンキを塗りつけておくと，修理が終わったときには，使った道具にすべて赤い色がつく．すると，次の修理のとき赤い色のついた道具を取り出して，必要な道具をそろえることができる．

この場合は，赤い色のペンキを手掛かりに，ペンキがついた道具（記憶内容に相当）をそろえると，次の修理が楽になる．

人の行動はシステム１とシステム２を導入することにより説明することができる．一方，人の行動は脳のニューラルネットワークの働きに基づいて発現する．したがって，これまでシステム１とシステム２を用いて説明してきたことを，何らかの脳の計算モデルを用いて説明できるはずのものではあるが，現状ではできていない．

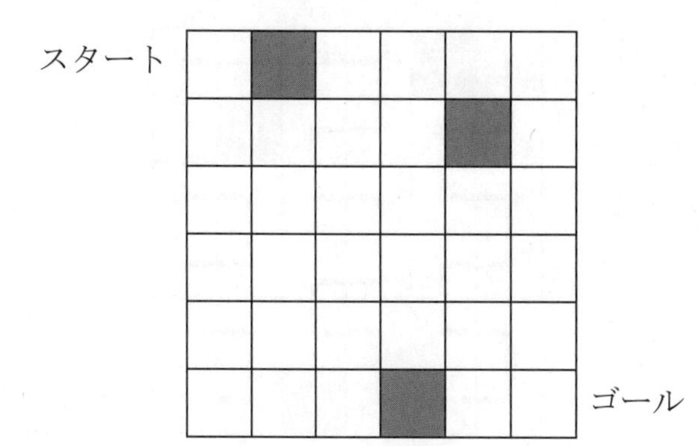

図3.1　ルート描画パズル

3.2 ルート描画パズル

カーネマンはチェスの次の一手を考えることはシステム1の働きとしている．ただし，対局者は名人という条件が付いている．つまり，名人になるまでの長い年数にわたるトレーニングが条件である．しかし，チェスよりずっと簡単なパズルをつくり，被験者にパズルを繰り返し解いてもらうと，はじめはシステム2が働き，じきにシステム1の働きに切り換わるとわかるものがある．私のグループが行った研究で，そのようなパズルが見つかったので紹介する．

図3.1は，スタートからゴールまでのルートを描くパズルの1つの例である．ただし，ルートは障害物（濃いグレーで表す）を除いた各マスをちょうど1回ずつ通ら

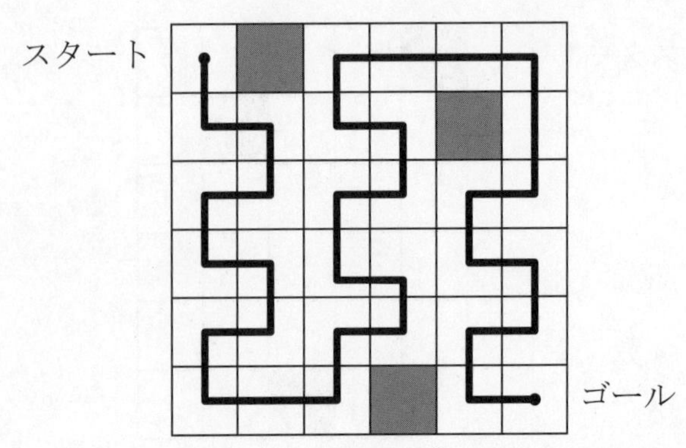

図3.2　ルート描画パズルの解

なければならない．この場合のルートの解は，図3.2のようになる．なお，図3.1のパズルの解は図3.2のルートが唯一のもので，他にルートはない（注2）．

この研究では，このようなパズルを週1回のペースで10週間にわたり解かせる実験を行い，正しいルートを描いたパズルの個数をグラフにプロットした．実験は，毎回異なる28題のパズルを出題し，10分間にできるだけ多くのルートを描くように被験者に指示した．実際には，パズルはコンピュータの画面に表示し，被験者はマウスを使ってルートを描くようにした．

ルートを描くモードと消すモードをボタン操作で切り替えられるようにしておいて，書き違えたときは，いつでも消せるようになっている．この実験では，当時講義を担当していた大学生たちが被験者を買って出てくれた．

図3.3は，ひとりの被験者が10回の実験で28題中正解のルートが何個あったかをプロットしたものである．このようなグラフを**学習曲線**（learning curve）と呼ぶ．図3.3からわかるように，7回目以降は10分間で28題のすべてのルートを描いているので，この被験者の場合，1題を20秒程度で描くまでになった．このように，週1回10分間のトレーニングを10週間続けただけなのに，スキルアップは予想を超えるものであった．なお，初めての人が試行錯誤しながらルートを描くと，1つのルートを描くのに平均すると1分30秒程度かかる．

図3.3のグレーの曲線は，折れ線グラフの増減をならしてなめらかにしたカーブで表したものである．ところで，学習内容のいかんにかかわらず，一般に，学習曲線はグレーの曲線のような傾向のものとなる．その学習曲線の特徴は**プラトー**（plateau，台地）と呼ばれる期間が現れるということである．プラトーは停滞期であり，スランプの期間と言ってもいい．この研究では，ルート描画の問題に関しては，プラトーは次に訪れる急激な上達のために必要な期間ということがわかったが，詳しい分析については省略する．

ところで，ルート描画では前節のシステム1と2のどちらが呼び出されるのであろうか．どの被験者も初めの数週間は時間をかけながら，少し進んでみて進めなくなったら戻るということを繰り返す．しかし，回を重ねると

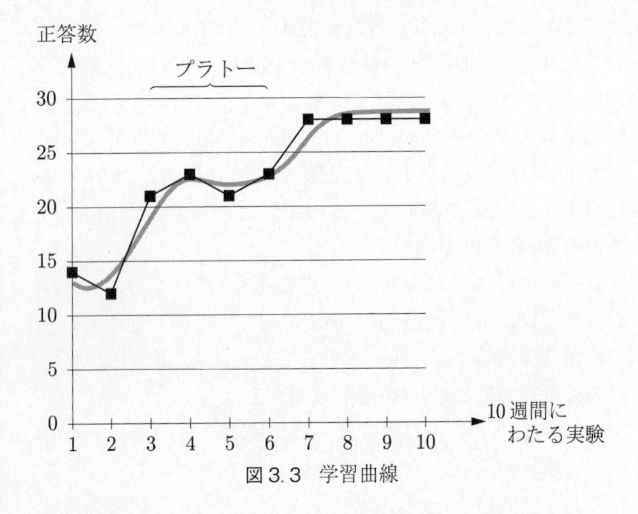

図3.3 学習曲線

高速でマウスを小刻みに動かしてルートを描くようになる．全体を通して試行錯誤を繰り返すという点では同じであるが，初めの数週間は意識して時間をかけて行い，その後はほとんど無意識のうちにマウスを小刻みに動かすようになる．そのため，ルートを描くのが格段に速くなる．まとめると，ルート描画パズルでは，はじめはシステム2が働き，次第にシステム1の働きに移るように思われる．システム1が働くようになるのは，人間の脳の神経細胞（ニューロン）間の結びつきのパタンがルート描画向きに適応（次の講で説明）するためと思われる．

第４講
ディープラーニングのエッセンス

4.1　ニューラルネットによる画像認識

ディープラーニングとは，層を重ねて構成したニューラルネットワークの“深い”層まで万遍なく働かせて，高い性能のネットワークをつくる技術である．ディープラーニングは，3つのブレイクスルーの最初のものであるが，残りの2つのブレイクスルーでも使われる，AIプログラムの基盤となるものである．

ディープラーニングによる学習で，画像を認識するということを，まずは直観的につかんでおくことにする．図4.1の機械は，画像認識するプログラムの働きを直観的につかむため，そのイメージを模式的に描いたものである．わかりやすくするために，画像認識のカテゴリーをイヌとネコの2種類とする．この機械はイヌまたはネコの画像を入力し，どちらであるかを判定する機械と考えてもらいたい．この機械に正しく判定させるために，イヌまたはネコの画像を入力して，機械の判定結果をチェックし，正しくないときは，ボックスのつまみを正しく判定するようにまわして調整する．判定結果が正しいときは，調整しない．これを大量のイヌまたはネコの画像に対して繰り返し

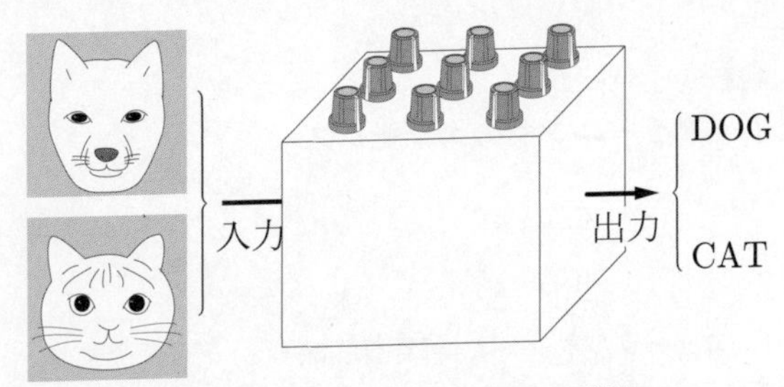

図4.1 イヌかネコかを判定する機械

実行する．この調整が画像認識の**学習**となる．学習は**トレーニング**とも呼ぶ．

画像認識の学習プログラムでは，図4.1の機械は図4.2のネットワークで置き換えられる．このネットワークは，脳の神経細胞（ニューロン）を相互接続したネットワークを模したもので，実際に使われるのは巨大なネットワークとなるが，図4.2のネットワークでは説明をわかりやすくするために，相互接続を単純化している．特に区別する必要のある場合は，脳のニューロンのネットワークを**ニューラルネットワーク**と呼び，これを模してつくったネットワークを**ニューラルネット**と呼ぶこともある．図4.2の○はニューロンを表すもので，それが層になって配置されていて，層間にはニューロン同士を結ぶラインが張られている．ニューロン間のラインには重みがついていて，この重みはラインを伝わる情報がどのくらい強められるかを表す数値である．この重みは学習の要となるもので，図4.1

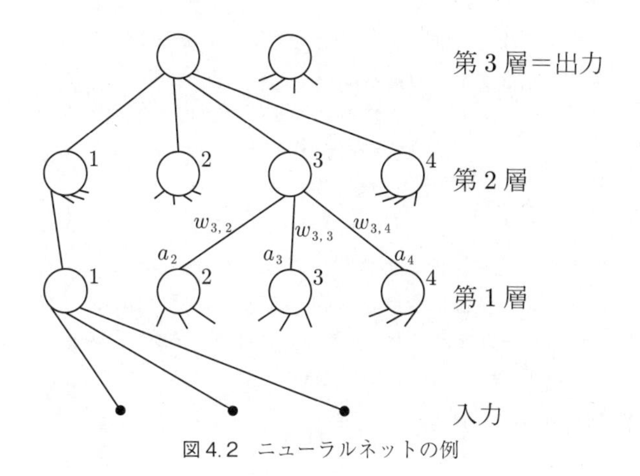

図4.2　ニューラルネットの例

の機械のツマミをまわすことが，重みの値を調整することに相当する．

図4.2に示すように，第1層のニューロン2から第2層のニューロン3に向かうラインには重み $w_{3,2}$ がついていて，この $w_{i,j}$ の数値がこのラインの伝達の強さを表している．一般的には，ニューロン j の出力を a_j と表すと，この出力は $w_{i,j}\times a_j$ となってニューロン i に入力される．重み $w_{i,j}$ が大きいと，ニューロン i に入力される値も大きくなる．各ニューロンで入力と出力を決める計算は2段階に分かれる．1段目の計算は

$$x = w_1a_1 + w_2a_2 \cdots + w_na_n + b \tag{1}$$

と表される．ここで，$a_1, a_2, \cdots, a_n$ は1つ下の層のニュ

ーロンの出力であり，下の層の n 個のニューロンにつながれているラインの重みは $w_1, w_2, \cdots, w_n$ と表されるとする．また，b は定数で個々のニューロンごとに決められる．次いで，2段目の計算は

$$y = \sigma(x) \tag{2}$$

と表される．ここに，σ（シグマ）は図4.3で表される関数である．(1) の x の値が，この図のカーブによって0と1の間の数値に変換される．この (2) で計算される値 y がニューロンの出力で，1つ上の層のラインでつながっているすべてのニューロンに向けて送られる．ここに，関数 $\sigma(x)$ は

$$\sigma(x) = \frac{1}{1+e^{-x}}$$

と定義されるもので，この関数はシグモイド関数（sigmoid function）と呼ばれる．図4.3は，x 軸の値 x が y 軸の値 $y=\sigma(x)$ に対応することを示している．

(1) と (2) の計算は次のように解釈するとイメージしやすい．(1) で，下の層のニューロンからの数値の総和をとる（定数 b も加える）．ただし，各ニューロンの出力 a_j をどの程度重視するかは，重み w_j の値によって決まる．次いで，(2) ではその総和の値 x を圧縮して0と1の間の値に変換する（一般に，x は負から正の広範な領域の値）．各ニューロンは直観的にはYES/NOの判定をする．判定の結果は (2) の出力 y により決まり，1またはそれに近い値であればYESで，0またはそれに近い値で

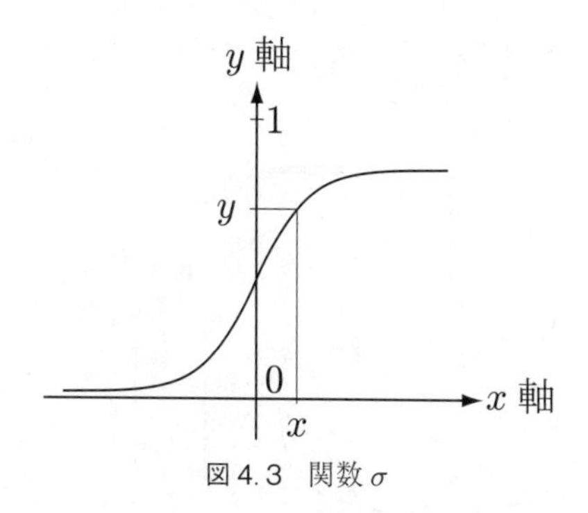

図 4.3　関数 σ

あればNOである．なお，YESはニューロンが発火することに対応し，NOは発火しないことに対応する．

判定結果がYESとなることを直観的につかむために，図 4.4 に示す鹿威し（ししおどし）を使って説明しよう．ニューロンがYESを出力することを，鹿威しの竹筒に水がたまり，その重みで筒が下がり，たまった水が放出されることに対応させる．そして，ニューロンがYESを出力することを，**発火する**と呼ぶ．竹の筒にたまった水量があるレベルを超えると水が放出されるが，これは n 個の入力 $w_1a_1, \ldots, w_na_n$ と b の総和がある値を超えたときである．すなわち，

$$w_1a_1 + w_2a_2 \cdots + w_na_n + b \geqq \theta$$

が成立するときである．ここで，θ（シータ）は適当に設定された値で，この値は閾値（しきいち）と呼ばれる．

ところで，第 2 講で，第 1 次 AI ブームの XOR の計算

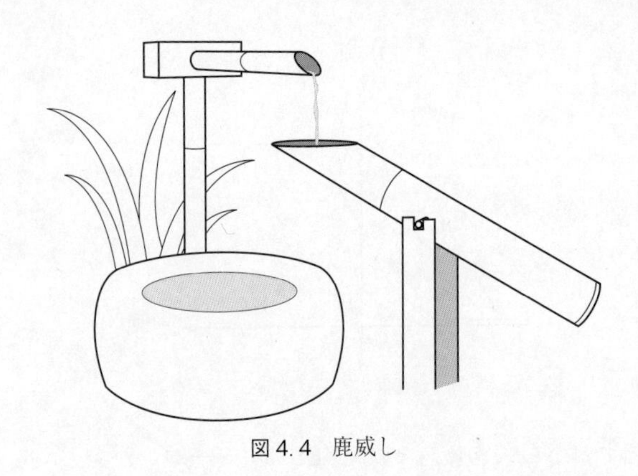

図4.4　鹿威し

について論争が起きたことを述べた．ニューロンの計算の式（1）と（2）を使えば，この論争についても説明することができる（注3）．

ここで，図4.2のニューラルネットの計算をまとめておこう．ニューラルネットに入力の数値を入れると，これらの数値は各ニューロンを通りながら上に向かって伝わっていって，最後は出力層のニューロンから出力の数値が出る．これがニューラルネットの計算である．画像認識する学習プログラムは，個々のニューラルネットの計算をプログラムとして書き下したものである．ただし，この学習プログラムには，重みを更新する計算も書き込まれている．

ところで，ニューラルネットに入力する画像は数値の系列として表す．例として，アルファベットのXを画像と

(a) 画像 X

(b) ベクトル

図 4.5　画像 X のベクトル

して取りあげる．画像 X を図 4.5 の (a) のように，方眼紙に描かれたものとする．この画像にハサミを入れて横に伸びる行ごとに切り離し，それを上から順につないで，1 本の系列にする．画像 X は，この図の (b) のように長さ 25 の 0 と 1 の系列で表す．一方，カラー画像はピクセル（画素）と呼ばれる最小単位から構成される．ピクセルの色情報を一定の長さの 2 進系列で表すことにする．すると，画像 X のときの 0 や 1 をピクセルの 2 進系列で置き換えれば，画像Xの場合と同じように，カラー画像も2進系列として表すことができる．

4.2　勾配降下法

学習プログラムがディープラーニングにより画像を認識できるようになるまでのおおまかな流れを説明する．まず，入力の画像を2進系列として表し，それを v で表す．この v をベクトルとも呼ぶ．画像 v にそのカテゴリーを対応させる関数を $f(v)$ と表す．ここに，$f(v)$ も数値の系列である．ニューラルネットを N と表し，N は m 個の重みをもっているとし，これを $w=(w_1, \cdots, w_m)$ と表す．画像 v を入力したとき，重みが w の N の出力を $N_w(v)$ と表す．目標は，重み $w=(w_1, \cdots, w_m)$ を学習してほぼすべての画像 v に対して $N_w(v)=f(v)$ が成立するようにすることである．ニューラルネットワークの入力 v も出力 $N_w(v)$ も，一般に，正負の数値の系列である．このように，大部分の v に対して $N_w(v)=f(v)$ が成立することを

$$N_w(v) \approx f(v) \tag{3}$$

と表すことにする．まとめると，ニューラルネット $N_w(v)$ の学習の目標は，重みの更新を繰り返して $N_w(v) \approx f(v)$ が成立するようにすることである．

次に，$N_w(v) \approx f(v)$ が成立するようにするために，重みのセット $\{w_i\}$ をどのように更新するかという話に進む．それを説明するため，例として，図4.2のイヌかネ

コかを判定するニューラルネットを取りあげる．出力層の2つのニューロンの出力が$(1,0)$のときイヌを表し，$(0,1)$のときネコを表すとする．そこで，わかりやすくするため，出力の左のニューロンだけに注目することにし，出力$N_w(v)$もラベルの$f(v)$も長さ1のベクトル（すなわち，1つの数値）と仮定する．そのうえで，$N_w(v)$の誤差を

$$(N_w(v)-f(v))^2$$

と定義する．

ニューラルネット$N_w(v)$の学習とは，膨大な数のイヌまたはネコの画像vに対して，誤差を減少させる重み更新を繰り返すことである．個々の更新ではvは一つの画像に固定される．

誤差が小さくなるように重みを更新するのに，**勾配降下法**（gradient descent）と呼ばれる方法を用いる．次に，この方法の核心部分を説明することにする．重み更新の繰り返しの任意の時点に注目し，そのときの重みを$w=(w_1,\ldots,w_m)$とする．

まず，mの重みの中から1個を任意に選び，それをw_iと表す．図4.6は，横軸にw_iをとり，縦軸に誤差$(N_w(v)-f(v))^2$をとったグラフである．ここで，w_i以外の値は$w=(w_1,\ldots,w_m)$の値に固定する．この図には，誤差を減少させるための重さw_iの更新の例を2つ示してある．現在のw_iの重みの値が6と4の場合に，誤差のカーブとその接線の傾きに応じて，それぞれ次のように更新

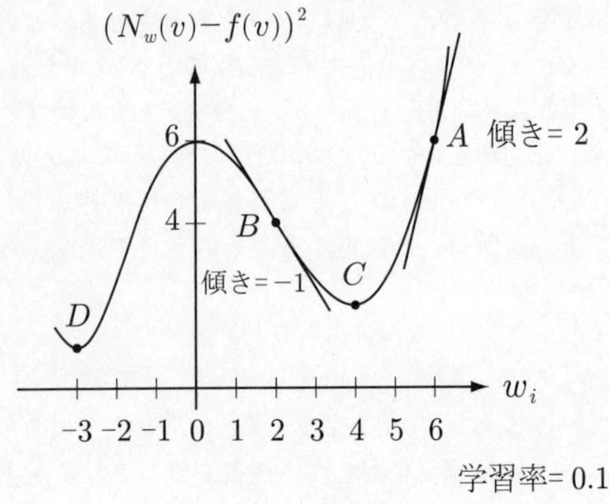

$w_i = 4$ → $w'_i = 4.1$ $(= 4 - 0.1\times(-1))$

$w_i = 6$ → $w'_i = 5.8$ $(= 6 - 0.1\times 2)$

図4.6　勾配降下法による重み更新の2例

する．

点 A の接線の傾きは2：　$6 \to 5.8 (= 6 - 0.1 \times 2)$

点 B の接線の傾きは -1：　$4 \to 4.1 (= 4 - 0.1 \times (-1))$

ただし，図4.6に示すように A と B は誤差 $(N_w(v) - f(v))^2$ のカーブ上の2点であり，“接線の傾き”は，誤差 $(N_w(v) - f(v))^2$ のカーブの点 A や点 B における接線の傾きである．2例とも，更新による w_i の値の変化分は「$-\eta\times$（接線の傾き）」と表すことができる．ここに，η（イータ）は定数で，この場合は$\eta=0.1$と設定している．この定数は**学習率**（learning rate）と呼ばれるもので，重みの更新の刻み幅を表す．点Aの場合，変化分は-0.1×2となるので，重みは6から5.8（$=6-0.1\times 2$）に更新される．同様に，点Bの場合は，重みは4から4.1（$=4-0.1\times(-1)$）に更新される．この重み更新のポイントは，極小点の点Cより右側に点がある場合は，w_iは減少するように更新され，左側にある場合は，増加するように更新されることである．このように，極小点Cに近づくように更新されることになるので，誤差$(N_w(v)-f(v))^2$が減少するように更新される．

これまでの，更新による重みの変化分を表す式を，数学の記法で表すことにする．まず，重み$w=(w_1, \ldots, w_m)$のw_i以外の重みの値を固定してw_iは変数として残しているので，w_iの値の変化分「$-\eta\times$（接線の傾き）」は偏微分を使って

$$-\eta\times\frac{\partial}{\partial w_i}(N_w(v)-f(v))^2$$

と表される．

ところで，学習率ηは大きい値に設定して，誤差極小の点に速く収束させるようにした方がいいようにもみえるが，必ずしもそうではない．図4.7は，学習率の違いによる誤差の極小点への近づき方の違いを示したものである．(a) は，学習率が小さいため，極小点Cにい

たるために多くの更新回数が必要となり，(c) は学習率が大きいため，1回の更新で極小点 C を超えてしまう例である．この場合は，(b) が適切である．なお，誤差 $(N_w(v)-f(v))^2$ のカーブの全体を描くと，誤差が最小の点（図4.6では D）は，極小の点 C とは別に存在する場合もあり得る．そのような場合は，学習率を大きくとり，極小点にトラップされることから逃れることも必要となる．

これまでは，重み $w=(w_1,\ldots,w_m)$ のうちの w_i 以外は値を固定して，誤差 $(N_w(v)-f(v))^2$ を減少させるために，w_i の値をどのように更新すればいいのかを説明してきた．実際は，$w_1,\ldots,w_m$ のすべてについて，変化分の計算をし，同時並行的に新しい値に重みを一斉に更新する．以上が，画像 v に関する重みの更新の1回分の計算である．画像認識の学習プログラムでは，この画像に関する重みの更新を膨大な数の画像 v に対して実行する．

ところで，人間はどのように画像認識しているのであろうか．私たちは，イヌやネコの写真を見せられると，一瞬のうちにそのどちらであるかを判定できる．しかし，見分けられるにもかかわらず，その判定の基準を明確に言葉で表すことはできない．このことは，イヌかネコかを判定するようにトレーニングされたニューラルネット $N_w(v)$ が，どのように判定を下しているのかを探ることがむずかしいことに対応している．ニューラルネット $N_w(v)$ の重みの値全体がイヌかネコかを判定しているとしか言いようがな

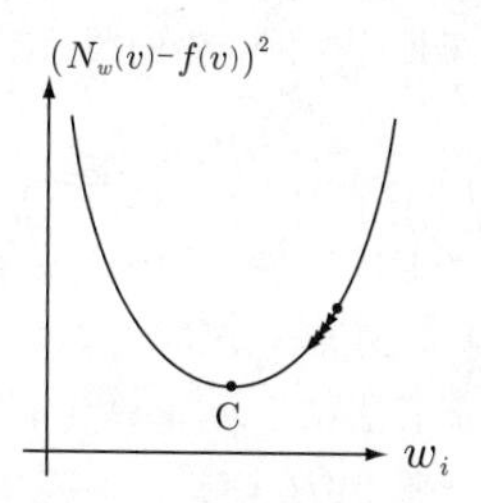

(a)　η が小さすぎる場合

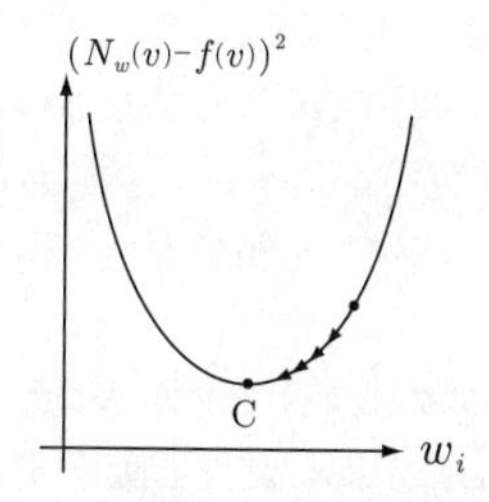

(b)　η が適切な場合

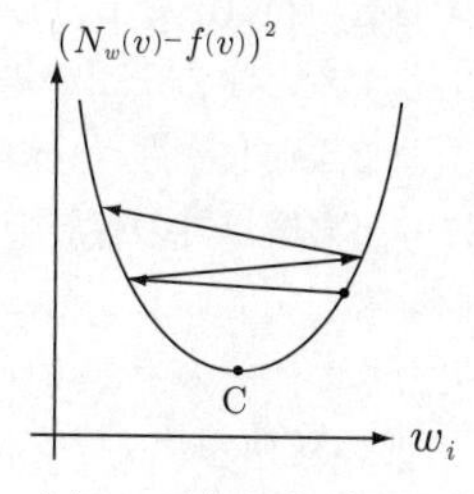

(c)　η が大きすぎる場合

図 4.7　学習率 η の違いによる誤差極小点への近づき方の違い

いからである．次の節では，この問題を掘り下げる．

4.3 学習プログラムはどのように出力を計算しているのか，そして一般化のミステリー

ニューラルネット $N_w(v)$ がカテゴリー $f(v)$ を出力するように，勾配降下法により重み更新を繰り返すと，正しいカテゴリーを出力するようになる．すなわち，$N_w(v) \approx f(v)$ が成立するようになる．これだけの説明だと，ニューラルネットという特殊なネットワークがなぜ正しいカテゴリーを出力するようになるのかについて，釈然としないところが残る．そこで，画像 v を入力したときのニューラルネットの中の計算を突き詰めてみることにする．

まず，トレーニングによりイヌかネコかを識別するニューラルネット $N_w(v)$ が得られたと仮定する．このニューラルネットの出力層は2つのニューロンからなっていて，イヌの画像を入力すると，$(1,0)$ を出力し，ネコの画像に対しては $(0,1)$ を出力するとする．この場合，出力層の1つのニューロンはイヌを識別し，もう一つはネコを識別している．同じように，出力層以外の各層のニューロンも何らかの画像のセットを識別していることになる．というのは，大量の画像を入力して，その中で注目するニューロンを発火（大きい1に近い数値を出力する）させる画像を集めれば，こうしてできる画像のセットをそのニューロンは識別していることになるからである．図4.8は，イメ

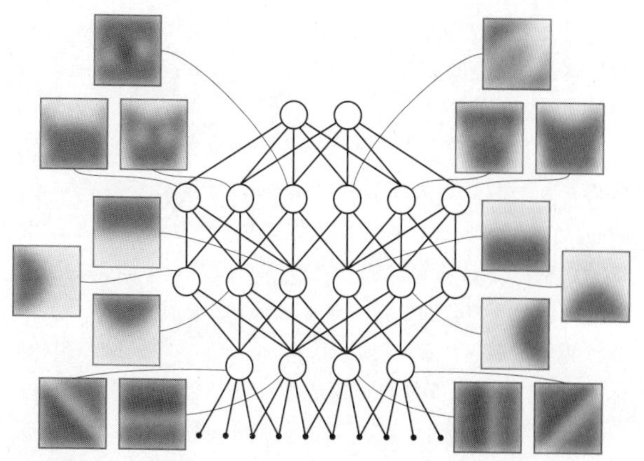

図4.8　ニューラルネットの各ニューロンが識別する像

ージをつかむため，模式的に表したもので，各ニューロンが識別する画像のセットを示している．

図4.8で各ニューロンが識別する画像セットを具体的に見ていこう．第1層のニューロンは，いろいろの傾きの線分を識別している．第2層のニューロンは，それらの線分を組み合わせてできる縁取りのある領域を識別し，第3層のニューロンはその領域を組み合わせて形づくられるイヌやネコの一部の部位を識別する．出力層のニューロンはこれらの部位の像を入力して，イヌかネコかを識別する．

このように，隣り合う2層のニューロンが識別するものの間には，下の層のニューロンが識別する画像を組み合わせると上の層の画像になるという関係がある．これは，ニューロンの計算が $\sigma(w_1a_1+\cdots+w_na_n+b)$ と表されることに対応している．ここで，$a_1, \cdots, a_n$ は下の層のニューロンが計算したものであり，それをもとにして上の層のニューロンは $\sigma(w_1a_1+\cdots+w_na_n+b)$ を計算する．$\sigma(w_1a_1+\cdots+w_na_n+b)$ を全体に対応させ，$a_1, \cdots, a_n$ を部分に対応させると，隣り合う２層のニューロンが識別する画像セットの間には「全体は部分から構成される」という関係がみられる．そして，ニューラルネットワーク全体でも，「全体は部分から構成される」という構造が積み重ねられた階層をなしている．この「全体は部分から構成される」の関係を積み重ねられた階層こそが，ニューラルネットの高い画像認識能力をつくりだしているものである．なお，ディープラーニングの“ディープ”（深い）は，入力層から深く入り込んだ層を指す言葉である．ディープな層のニューロンは，下位の層のニューロンが識別した画像を統合した，より抽象度の高い画像を識別する．実際，自然界は，雪の結晶や木の根，幹，枝，葉など，「全体は部分から構成される」という規則性に満ちている．

以上，重み更新を繰り返してできるニューラルネットが計算することについて説明した．この重み更新では，一般に，膨大な画像データが必要となる．

ところで，第２講で説明した，米国の銀行で実際に使われた，小切手の署名を認証するニューラルネットを考えてみよう．この場合，入力の v は手書きのサインであり，

$f(v)$ は入力のサインの真偽を判定する関数である．このニューラルネットは，サインとその真偽のペア $(v, f(v))$ を大量に集めた上で，トレーニングする．このトレーニングに使うデータ $\{(v, f(v))\}$ を**トレーニングデータ**と呼ぶ．トレーニングデータを用いて，勾配降下法により学習したニューラルネット $N_w(v)$ は，トレーニングデータに現れる v に対しては，正しく $f(v)$ を出力するとしても，これ以外の画像に対しては正しく出力するという保証はない．そこで，トレーニングデータには現れない画像に対して正しく出力するかどうかを検証する必要がある．そのためのデータを**テストデータ**と呼び，これを $\{(u, f(u))\}$ と表す．テストデータもサイン u とその真偽を表す $f(u)$ のペアのセットである．ただし，トレーニングデータとテストデータとでは共通の画像を含まない $(v \neq u)$．ニューラルネットをトレーニングデータを用いて重み更新すると，その結果得られるニューラルネットは，トレーニングデータ上で $N_w(v) \approx f(v)$ が成立するようになるのは当然である．というのは，$N_w(v) = f(v)$ が成立するように重み更新するからである．しかし，このニューラルネットは，テストデータ上でも $N_w(u) \approx f(u)$ が成立するようになる．つまり，$N_w(v) \approx f(v)$ はトレーニングデータ上からテストデータ上に一般化される．この一般化がなぜ起こるのかは，いまだ説明されていない．そのため，これは**一般化のミステリー**と呼ばれている．

ディープラーニングの学習結果が，トレーニングデー

タ上からテストデータ上に一般化されるとはどういうことなのか，そのイメージをつかんでおこう．話をわかりやすくするために，ニューラルネットワーク $N_w(v)$ をイヌかネコかを識別するようにトレーニングする試行実験を取りあげる．トレーニングデータとテストデータはそれぞれ1万個からなるイヌまたはネコの画像データとし，トレーニングデータを $D_{\rm tn}=\{(v_i, f(v_i))|i\in A\}$ と表し，テストデータを $D_{\rm test}\{(v_i, f(v_i))|i\in B\}$ と表す．ここに，$A=\{1, \ldots, 10000\}$，$B=\{10001, \ldots, 20000\}$ とする．また，これら2万個の画像はすべて相異なるとする（$i\neq j$ ならば，$v_i\neq v_j$）．

V はイヌやネコの画像からなる集合を表すとし（$V=\{v|(v, f(v))\in D_{\rm tn}\cup D_{\rm test}\}$，$V$ の画像がイヌなのかネコなのかを示す関数を $f: V\to\{\mathrm{DOG, CAT}\}$ と表す．関数 f は，画像 v にラベル $f(v)\in\{\mathrm{DOG, CAT}\}$ を対応づける．この関数 f から，トレーニングデータ上では f と同じラベルを対応づけ，テストデータ上では f のラベルを逆転したラベルを対応づける関数 $\tilde{f}$ を定義する．すなわち，

$$\tilde{f}(v)=\begin{cases} f(v), & (v, f(v))\in D_{\rm tn}\ \text{のとき,}\\ \overline{f(v)}, & (v, f(v))\in D_{\rm test}\ \text{のとき.}\end{cases}$$

ここに，$\overline{\mathrm{DOG}}=\mathrm{CAT}$，$\overline{\mathrm{CAT}}=\mathrm{DOG}$ とする．このように，$\tilde{f}$ をテストデータ上では f を逆転したものと定義できるのは，トレーニングデータとテストデータは共通する画像 v_i を含んでいないとするからである．

これから先の話の展開は明らかであろう．関数 f と $\tilde{f}$ はトレーニングデータ上では同じ対応関係を与えるので，どちらが目標関数だとしてもトレーニングにより得られるニューラルネットワーク $N_w(v)$ は同じである．関数 f に関して，トレーニングデータからテストデータへの一般化が起っているとすると，関数 $\tilde{f}$ に関しては，起らないことになる．たとえば，f に関して一般化されているとし，$N_w(v)$ はテストデータ D_{test} 上で正答率 90% が実現できたとしよう．すると，$\tilde{f}$ に関しては D_{test} 上で正答率は 10% ということになる．このように，イヌかネコかの判定を学習させる試行実験から一般化のミステリーが破綻するような事例が導かれた．

このように，一般化のミステリーが破綻してしまうのはなぜかを説明するには，ニューラルネットワークの学習よりもっと根元的なところに立ち返る必要がある．それは，トレーニングデータやテストデータの画像の集合をイヌかネコかで分割すると，イヌやネコのような“自然なもの”に根ざした分割では，トレーニングデータの分割の特質がテストデータの分割の特質に引き継がれるということである．人為的には定義した $\tilde{f}$ のように，テストデータ上で逆転するようなことは実際には起らない．このようなことが起らないのは，イヌやネコのような“自然なもの”に根ざした分割だからである．この“特質”とは何かは，未だ説明されておらず，ニューラルネットワークの一般化のミステリーは，現在もミステリーとして残っている．

このニューラルネットの一般化のミステリーをもっと普遍化した視点から問題提起した人がいる．あのアルベルト・アインシュタイン（Albert Einstein）である．アインシュタインは次の格言を残している．

> The most incomprehensible thing about the universe is that it is comprehensible.

おおよその意味は

> この世の中でとても理解しがたいのは，どんなことでも理解できるようになっている

ということである．20世紀を代表する物理学者のアインシュタインが理解できると言っているのは，物理現象が数式などを使って説明できるようになっていることと解釈すると，この格言も納得できる．言い換えると，説明できない可能性があるにもかかわらず，物理現象が説明できてしまうので，理解しがたい，不思議だと言っている．

アインシュタインの格言は深い洞察から生まれたもので，ディープラーニングに関しても示唆してくれるものがある．物理学では観察した物理現象を物理法則が説明してくれる．ディープラーニングでは，観察した物理現象には，画像とそのラベルのペア $(v, f(v))$ が対応し，物理法則には，画像 v を入力するとそのラベル $f(v)$ を出力するニューラルネット $N_w(v)$ が対応する．アインシュタインは，観察した物理現象を物理法則が説明できてしまうのが不思議だと言っているが，デイープラーニングで言えば，ニューラルネット $N_w(u)$ が，トレーニングデータには現

れていない，テストデータの画像 u の入力に対してもそのラベル $f(u)$ を出力するのはミステリーと言っていることに相当する．このように，一般化はミステリーであるにもかかわらず，実際には，重み更新後にニューラルネットは，テストデータの画像に対してもそのラベルを出力する．そこで，ニューラルネットは，トレーニングデータの範囲を超えるデータにも及ぶ，高い一般化能力をもつということを前提にして話を進めることにする．

4.4 人の学習とプログラムの学習

ディープラーニングに基づく学習プログラムの学習では，重みの更新は，代入文により重みの値に変更を加えることにより実行される．一方，脳では，ヘブ則と呼ばれるルールに従って，ニューロン間の結合の強さが変更される．このヘブ則（Hebbian rule）はカナダの心理学者ドナルド・ヘブ（Donald Hebb）により1949年に唱えられた仮説である．これは，ニューロン A の発火がニューロン B の発火を引き起すと，これらのニューロン間の結合が強まるという仮説である．この仮説は，実験を通して実証され，記憶を説明する現象として認められている．

ところで，人間は生涯を通して学習し続ける．人の脳は何らかの学習の仕組みを備えているはずである．脳の学習では，学習の目標を表す関数 $f(v)$ に相当するものは存在するのであろうか．学習の目標とニューラルネットワークの出力のズレを減少させる，勾配降下法に相当するものは存在するのであろうか．このような脳の学習の根本問題は未だ解明されていない．重み更新に関しては，ヘブ則が仮説として提唱され，この仮説が実験的にも実証されているのとは対照的である．

ディープラーニングは，ニューロンが相互接続されたニューラルネットワークをモデルとしてスタートしてはいるが，ニューラルネットは脳のニューロンの動きをすべて模倣すればよいというものでもない．学習プログラムは，コンピュータ上で動き，その計算の基盤はコンピュータであり，具体的にはシリコン（IC などの半導体チップの材料）であるのに対し，脳のニューロンのネットワークの計算の基盤は生体組織である．基盤が異なるので，当然それぞれに適した計算を追求すべきである．

しかし一方で，プログラムの学習も人の学習もより高い性能の実現を目指すという点では共通している．人間は学習によりイヌかネコかを一瞬のうちに識別するようになり，子供は一日も練習すれば自転車に乗れるようになる．これらは，どちらもカーネマンのシステム 1 の学習である．ヘブ則により，何らかの方法で，ニューロン間の結合の強さが適当にセッティングされていると考えるしかない．脳でどのようにセッティングされているかは，現時点では解明されていないが，勾配降下法やバックプロパゲーションに相当する，何らかの効率の良い手順が働き，人は学習しているのではないだろうか．

第5講
学習のポテンシャル

5.1　従来の画像認識

画像認識は，人工知能とほぼ同じ1950年代に研究が始められた．自動認識したいものは数多くあるため開発が進み，たとえば日本では，郵便番号の読み取り装置は，1980年代には開発されている．このように，ディープラーニングによる認識技術が開発されるまでは，図5.1に表されるような方式でさまざまな認識装置が開発され，製造されていた．しかし，その認識装置は人間とは比べものにならないくらい精度が低いものであった．

この図の方式は，まず，画像を4.1節の図4.5に示すように表して入力し，前段の**特徴抽出器**で画像の特徴を抜き出してベクトル化し，後段の**識別器**でそのベクトルから画像のラベルを出力するものである．イヌかネコかの識別であれば，たとえば，注目する特徴として目が丸いかどうか，口がとがっているかどうか，などに注目する．この特徴の選定は人手でやる．入力の画像に対して，特徴抽出器は，特徴のありなしを数値のベクトルとして表し，識別器はそのベクトルを入力して，イヌかネコかの判定をする．ところで，5.5節で説明するように，ImageNetと呼

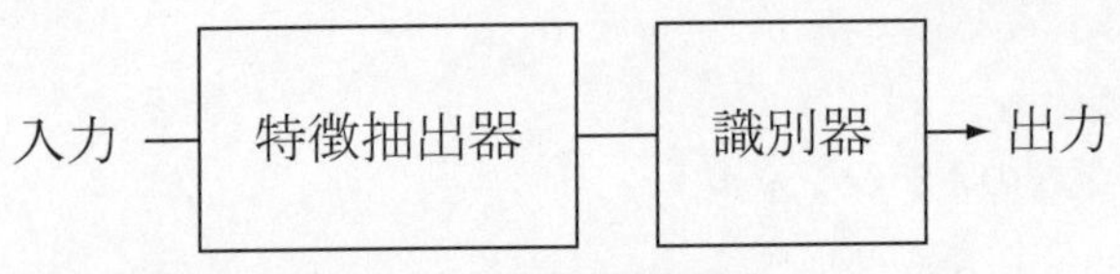

図5.1 従来の画像認識

ばれる画像データベースは，1400万個の画像が2万2000個のカテゴリーに分けられたものである．このサイズになると，識別のための特徴を人間が設定すること自体が不可能となる．この不可能を可能とするためには，大きな発想の展開，パラダイムシフトが必要であった．

5.2 オートエンコーダー

これまでは，画像認識するニューラルネットを説明してきたが，ニューラルネットの働きは画像認識に限られるものではない．この節では，画像認識からいったん離れ，オートエンコーダーについて説明する．オートエンコーダーも，勾配降下法で重み更新してつくるニューラルネットではあるが，その働きは画像の認識とは違い，入力vの情報を圧縮するものである．入力vの情報を減らすことなく，短くするので，情報を"煮詰める"と言ってもいい．

14世紀の哲学者オッカムの格言として

> 科学のモデルをたてるとき，観測されたデータを説明するモデルのうちで最もシンプルなモデルを採用せよ

というものが知られている．この格言の"モデル"は"仮説"で置き換えてもよい．余分なものはそぎ落とすという

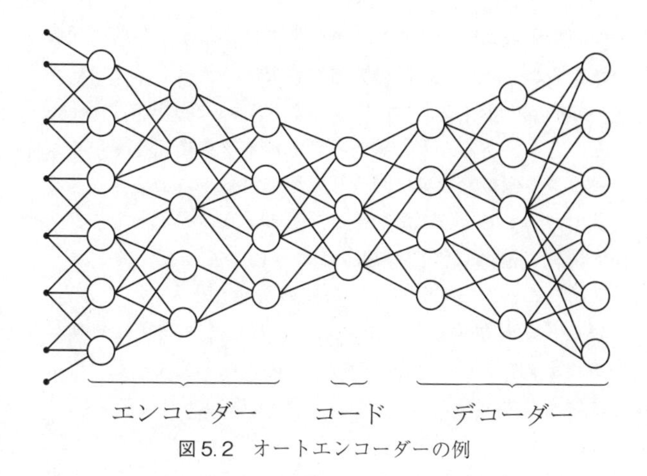

図 5.2 オートエンコーダーの例

意味から，この格言は**オッカムの剃刀**と呼ばれている．オッカムの格言は，科学の方法論に普遍的な指針を与えるものとして，多くの科学者に引用もされてきた．この格言を，一般化して「一つの事柄を説明するときは，短い言葉でまとめるようにせよ」と解釈することにしよう．

この節“オートエンコーダー”を，まず，オッカムの剃刀から始めたのは，私がオートエンコーダーを最初に学んだとき，すぐに思い浮かんだのがオッカムの剃刀の格言だったからである．実際，**オートエンコーダー**（auto encoder）は，入力するデータのエッセンシャルな情報を抽出するという特異な働きをする．

図 5.2 は，オートエンコーダーの簡単な例である．画

像認識するニューラルネットと似てはいるが，各層に配置されるニューロンの数の分布が異なる．オートエンコーダーの構成のポイントは，中央の**ボトルネック**（bottleneck, 瓶の首）である．入力層からボトルネックまで各層のニューロンの個数は次第に減少し，逆にボトルネックを過ぎると出力層まで次第に増加する．このように，ボトルネックで情報の流れに渋滞が起きるようにつくってある．オートエンコーダーの目標は，数値の系列 v を入力したとき，同じ v を出力することである．これは，ふつうはあり得ない目標である．というのは，この目標を達成するためには，入力の v をコピーして，それを出力すればいいだけの話だ．そうではなくて，図5.2のニューラルネットに実際に v を入力して，数値を伝搬させた上で，v を出力するというのが目標である．この目標を達成するためには，中央のボトルネックが効いてくる．このボトルネックで入力 v の情報をいったん圧縮して，その圧縮した情報から元の入力 v を復元しなければならない．入力 v を復元しなければならないので，v の情報は失うことなく，短くしなければならない．

オートエンコーダーは，情報の圧縮と復元を強制的に強いる仕組みとなっている．図5.2に示すように，情報を圧縮する部分は**エンコーダー**（encoder，符号器）と呼ばれ，復元する部分は**デコーダー**（decoder，復号器）と呼ばれる．

ところで，情報の圧縮は常にできるわけではない．たとえば，ランダムな系列は圧縮できない．硬貨を振って，出た表か裏かで1か0かを決める，ということを繰り返せば，2進のランダム系列ができる．規則性が全くないので，その系列そのもので表すしかないような系列である．実際，系列 v がランダムであるとは，系列 v そのものより短い系列で表すことができない系列として定義される．この定義より，系列がランダムであれば，その系列は圧縮できないということになる．

このランダムな系列について，少し説明しておこう．円周率を表す系列はランダムではない．実は，円周率がなぜランダムでないかを説明するのはむずかしい．ランダムな系列の定義自体がむずかしいからである．そこで，ここでは深入りせず，ランダムな系列とは系列全体を数式として厳密に定義することができないものとしよう．すると，無限に続く円周率を計算する方法があるので，円周率はランダムではないということになる．実際，円周率を無限に打ち続けるプログラムコードを書くことができる．結局，ランダムな系列は系列自体を書き下すしかない．

ところで，通常目にする系列 v が完全にランダムということはまずない．たとえば，画像を2進系列として表すとすると，その系列には画像の規則性が反映される．系列 v は何らかの規則性のある系列とする．オートエンコーダーの目標を表す関数 f は，任意の系列 v に対して

$$f(v) = v$$

となる関数（恒等関数）となる．

オートエンコーダーは，学習によりつくられるが，その学習は画像認識のときの学習と同じである．トレーニングのためのデータは大量の系列 v に対して，(v, v) をサンプルとしてつくればよい．学習の結果，オートエンコーダーが得られたとしてそれを $A_w(v)$ と表す．ここで，画像認識の場合と同じように重みは $w = (w_1, \ldots, w_m)$ と表している．さらに，画像認識のときと同じように，学習により

$$A_w(v) \approx f(v)$$

が成立するようにする．ここで，f は恒等関数である．このようなオートエンコーダー $A_w(v)$ では，そのボトルネック部分に入力 v のエッセンスを圧縮し，そのボトルネック部分の系列から入力の v を出力として再現している．入力が v のとき，オートエンコーダー $A_w(v)$ のボトルネック部分に現れる系列を $B_w(v)$ と表す．

次に，オートエンコーダーの実際の働きについて見てみよう．まず，オッカムの言う"観測データ"や"事柄"を入力される系列 v に対応させる．また，"モデル"や"短い言葉"をボトルネックに現れる系列 $B_w(v)$ に対応させる．このように対応させると，短い言葉でまとめるように，オートエンコーダーのボトルネックは狭く絞られている．ところで，情報圧縮は定性的な指針であり，定量的とは言えない．しかし，オートエンコーダーは，この指針に定量的な視点も与えてくれる．そのことについて，次に説明する．

オートエンコーダー $A_w(v)$ が定量的な視点を与えてく

れるのは，$A_w(v)$ がオートエンコーダーとして働けば，入力の系列 v は $B_w(v)$ の長さまで圧縮できることを示しているからである．実際，デコーダー部分が $B_w(v)$ から元の系列 v を復元できるということは，$B_w(v)$ は，元の v のエッセンシャルな情報を失うことなく圧縮したものになっている．また，この圧縮の限界もわかる．というのは，$A_w(v)$ がオートエンコーダーの働きをする限り，ボトルネックのニューロンを1個外し，その上で再度トレーニングするということを繰り返せば，最後に得られた $A_w(v)$ のボトルネック部分の系列の長さが圧縮の限界となるからである．

次に，オートエンコーダーの応用として，画像のノイズを除去するニューラルネットの話に進む．まず，図5.3にノイズのある画像の例を表す．この図は，(a) のアルファベット X の画像に (b) のノイズを重ねて，(c) のノイズのある画像 X がつくられることを描いたものである．(a) の画像が，(b) のノイズのある箇所で反転されて，(c) のノイズのある画像となる．ただし，ノイズの箇所はランダムに選ばれている．この場合は，10×10 の格子面の画像なので，画像を表す系列の長さは100 $(= 10 \times 10)$ となる．(a) の X の画像（の系列）を v_X と表し，その画像にノイズを入れた (c) の画像を $\tilde{v_X}$ と表す．同じように，一般の画像 v に対しても，ノイズを入れた画像を $\tilde{v}$ と表す．

ノイズを除去するニューラルネットとは，ノイズのある

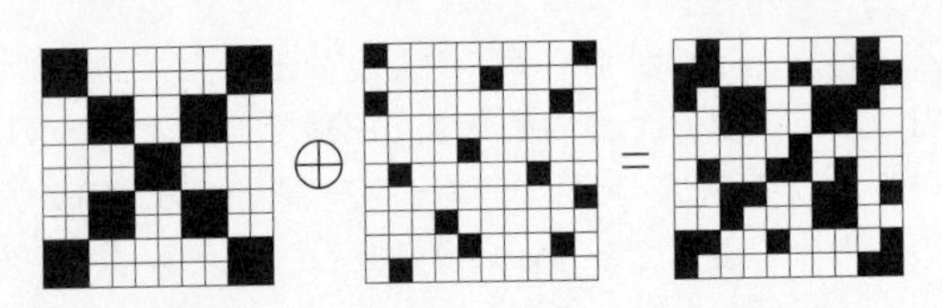

(a)アルファベットXの画像 (b)ランダムなノイズパターン (c)ノイズの入った画像X

図5.3 ノイズの入った画像の例

画像 $\tilde{v}$ を入力すると，ノイズを取り除いた元の画像 v を出力するものである．ただし，そのニューラルネットは図5.2に示すオートエンコーダーそのものである．つまり，ノイズを取り除くニューラルネットとオートエンコーダーはネットワーク自体は同じであり，違うのはトレーニングの目標を表す関数 f だけである．オートエンコーダーの目標の関数は，$f(v)=v$ であるのに対し，ノイズ除去の場合は $f(\tilde{v})=v$ となる．

画像のノイズを取り除くニューラルネットをトレーニングするには，トレーニング用のデータをつくる必要がある．大量の画像 v に対し，ノイズを入れた画像 $\tilde{v}$ をつくり，$\{(\tilde{v}, v)\}$ をトレーニングデータとする．このようにつくったトレーニングデータを用いて，画像認識やオートエンコーダーの場合と同様に，勾配降下法に基づいて重み更新を繰り返して，ニューラルネットをトレーニングする．このようにして得られたニューラルネットを $N_w(\tilde{v})$ と表すことにする．

ニューラルネット $N_w(\tilde{v})$ が入力 $\tilde{v}$ の中のノイズを取り除き，元の画像 v を出力することは，直観的には次のように説明される．ニューラルネット $N_w(\tilde{v})$ のネットワーク構造はオートエンコーダーと同じであるので，$N_w(\tilde{v})$ のボトルネック部分には，画像 $\tilde{v}$ の情報が圧縮されて系列として現れる．一方，$\tilde{v}$ は元の画像 v の情報とノイズが合わさったものであるが，このうちノイズはランダムで規則性がないため，ボトルネック部分の系列からは除外される．そのため，ボトルネック部分の系列からデコーダーで復元されるのは，元の画像だけとなり，結果としてノイズが除去される．

この節を終えるにあたり，学習プログラムの可塑性に触れておきたい．**可塑性**とは，力が加えられると形が変わり，そのまま元に戻らないという性質である．粘土細工の粘土を思い浮かべるとイメージしやすい．学習プログラムには可塑性がある．具体的に，ニューラルネットやオートエンコーダーを取り上げて見ていこう．これらのモデルを $N_w(v)$ とする．ニューラルネットやオートエンコーダーの可塑性とは，$N_w(v)$ が学習するという性質と言ってもいい．すなわち，任意の関数 $f(v)$ に対して，$f(v)$ を出力するように $N_w(v)$ をトレーニングすると，トレーニングが終わった時点で $N_w(v)$ は $f(v)$ を出力するようになるということである（$N_w(v) \approx f(v)$）．粘土細工の比喩で言えば，加える力は，$f(v)$ を出力するように重みのパラメータを修正することに対応する．加えるのはどんな力でもよく，その力に応じて形を変えるというところがポイントである．さらに，オートエンコーダーに関しては，入力から出力までの数値の流れの中で，中央のボトルネックのところで絞った上で，オートエンコーダー $A_w(\tilde{v})$ の目標の $A_w(\tilde{v}) \approx f(v)$ を成立させているところに注目してほしい．

5.3　学習の3つのタイプ

人工知能の研究では，初期のころから学習する人工知能に関心はもたれていた．第1次AIブームの頃は，学習するニューラルネットワークという発想はあったが，学習プログラムがその威力を発揮するのは第3次AIブーム以降である．学習プログラムは3つのタイプの学習によりトレーニングする．この節では，それぞれのタイプについて説明した後，AIプログラムの学習と人間の学習について比較する．

一般に，学習とは外界からの何らかの情報に基づいて自分自身の働きを変えていくことである．学習プログラムの学習は外からの情報の種類により3つのタイプに分かれる．外部からの情報の強いものから弱いものの順に，教師あり学習，強化学習，それに教師なし学習の3つである．

教師あり学習から順次説明していく．教師あり学習の典型的な例が，ディープラーニングに基づいて画像認識する学習プログラムである．プログラムが入力の画像のラベルを出力した後に，外部から正しいラベルを教えてもらい，出力が正しくなければ正しく出力できるように重みを更新し，正しければ更新しないということを繰り返す．正しいラベルは教師が教えてくれるとみなして，このタイプの学習を**教師あり学習**と呼ぶ．

次に，強化学習の説明に進む．**強化学習**とは，学習プログラムの出力が単に良かったのか，良くなかったのかを外部から知らされる学習である．正しい出力を教えてもらえるわけではない．したがって，このタイプの学習は，教師ありの学習に比べ，外部から知らされる情報は少ない．ブロック崩しゲームとアルファ碁の学習プログラムはどちらも強化学習で学習する．外部から知らされる情報は，ブロック崩しゲームの場合は，はね返したボールで得点したスコアであり，アルファ碁の場合は，終局までに打った一連の手で勝ったのか，負けたのかの情報である．

ところで，ブロック崩しゲームもアルファ碁も学習のタイプは強化学習であるが，強化学習が完了した後は，どちらの場合も自分でゲームができるようになる．すなわち，ブロック崩しゲームの場合は，パドルの移動方向（右か左か）と移動速度を自分自身で計算したり，アルファ碁の場合は，次の一手を計算するようになる．このように強化学習の場合は外部から知らされる情報は少ないものであるにもかかわらず，学習が完了した後は，教師あり学習の場合に外から知らされる情報を自ら計算するようになる．そのため，学習が終了するまでには一般に膨大な時間がかかる．

次に，3つ目の学習のタイプ，**教師なし学習**に進む．これまでの2つのタイプと違い，このタイプの学習では外部から情報が知らされることはない．教師なし学習の例としては，オートエンコーダーや画像のノイズを除去する学習プログラムがある．たとえば，ノイズ除去の場合は，トレーニングのサンプルは $(\tilde{v}, v)$ で与えられる．ここに，$\tilde{v}$ は画像 v にノイズを乗せた画像である．また，学習目標の f は，$f(\tilde{v}) = v$ となる．この場合は，画像 $\tilde{v}$ が入力されたとき，元の画像 v を出力するように学習するので，形の上では教師あり学習そのものである．しかし，教師なし学習に分類されるのは，サンプルのセット $(\tilde{v}, v)$ を，ランダム系列を生成してアルゴリズム自身がつくっているからである．このようにトレーニングデータをアルゴリズムがつくるような学習は，**自己学習**と呼ばれる．この名称のほうが実態を表しているように思われる．同じような意味で，オートエンコーダーも自己学習に分類してよい．

わたしたち人間は生涯を通して学習し続ける．人の学習は学習プログラムの学習とは大きく異なり，とても巧妙なものだ．たとえば，小学1年生に工作用粘土でつくった椅子を見せたとしよう．子供たちは，それまでの人生で見た椅子の種類は，自分の部屋の椅子，学校の椅子，友だちの家の椅子など，すべて合わせてもせいぜい数百以下だろう．しかし，これまでの経験から，粘土の椅子を椅子と判断することができる．椅子という概念を会得しているので，実際には座れなくとも椅子と識別する．このように，人間は，現代の人工知能技術ではなしえない仕組みで，画像認識する能力を獲得している．さらに，赤ん坊の場合，これまでの分類には当てはまらない特異な学習をする．

ちょっとしたトリックを生後数か月の赤ん坊に見せるという実験を取り上げる．図 5.4 に示すように，適当な仕掛けをつくって，机の上のおもちゃの車を指で押していき，机から飛び出しても車は空中に浮いているようにする．そして，指で押した車が宙に浮いているところを乳児に見せるという実験をする．この実験をすると，生後 9 か月を過ぎた乳児はびっくりするが，9 か月以前の赤ん坊だと何も反応しない．この実験をした心理学者のエマニュエル・デュプー（Emmanuel Dupoux）は，この実験結果からゼロ歳児は 9 か月で重力を学習するという結論を導いた．なぜならば，9 か月を過ぎた赤ん坊は，それまでの数多くの観察の経験から，このような状況では重さのあるものは落下するということを理解していると解釈できるからである．学習していない 9 か月以前の赤ん坊にとっては，これは不思議な現象ではない．赤ん坊は親と言葉を交わすということができないにもかかわらず，周りを観察するだけで，重力という概念を習得してしまうのは驚くべきことだ．デュプーは重力以外にも，赤ん坊が学習する事柄をいろいろ調べている．たとえば，助けるという行為と邪魔をするという行為の違いは 6 か月で区別できるようになるという．大人が教えるということができない，赤ん坊が，さまざまなことを自ら学習している．すばらしい学習の形態である．

図 5.4　おもちゃの車のトリック

親と言葉で意思疎通のできない赤ん坊がこれだけの学習をしている．これは，赤ん坊自身の**観察による学習**である．なぜ生まれて 9 か月の赤ん坊が重力を学習できるのであろうか．これは，赤ん坊なりの何らかのモデルが脳の中にできているからに違いない．そのモデルはとても簡単なもので，たとえば，万有引力の法則にたよっているわけではないだろう．万有引力の法則まで持ち出すと，“質量”とか“力”とかの概念も必要となってくるからである．そうではなくて，おもちゃが下から机などで支えられると，下に落ちていかないが，支えがないと落ちてしまうというようなことが織り込まれているようなモデルを習得しているのかもしれない．このように，適度に小規模なモデルがつくられていて，さまざまな現象を観察しては，そのモデルを少しずつ修正しているのではないだろうか．

5.4 トレーニングデータ，バリデーションデータ，テストデータ

これまで説明してきたように，ニューラルネットワークと関数 $f(v)$ を適当に設定し，ニューラルネットの重み更新を繰り返せば，画像 v を入力したとき，ラベル $f(v)$ を出力するようになる．この節では，重み更新の後，目標の $N_w(v) \approx f(v)$ が成立しているということをどう検証するのかについて説明する．

まず，見出しの3種類のデータを簡単に説明する．**トレーニングデータ**は重みを更新するためのデータである．また，**バリデーションデータ**はニューラルネットのハイパーパラメータ（hyperparameter）を決めるためのデータである．**ハイパーパラメータ**とは，ニューラルネットの段数，ニューロンの個数，学習率，重み更新の回数などのデータである．さらに，**テストデータ**は，重みの更新やハイパーパラメータの設定が終わった後に，ニューラルネットの性能（識別率など）を最終的にチェックするためのデータである．なお，これらのデータはいずれも画像 v とそのラベル $f(v)$ のペアを集めたセットであるが，共通するサンプル $(v, f(v))$ を含まない別々のセットとする．

ここで，ディープラーニングの一般化のミステリーを思い出してみよう．これは，ニューラルネット $N_w(v)$ をトレーニングデータ $\{(v_1, f(v_1)), \ldots, (v_s, f(v_s)\}$ を使ってト

レーニングすると，このトレーニングデータには現れていない画像 v に対しても，それをニューラルネットに入力すると，$N_w(v)$ はそのラベルを出力してくれるというありがたい性質であった．ところで，重み更新の繰り返しの回数を増やしていけばいくほど，一般化も完璧なものに近づいていくようにも思われる．ところが，実際はそうではなく，重み更新の繰り返しはある程度のところで止めた方がいい．なぜそういうことになるのかを説明しよう．

トレーニングの最終的な目標は，ニューラルネットのすべての調整が終わった後に，高い識別率のニューラルネットを得ることである．ところが，トレーニングデータに対する識別率の増加を追求しすぎると，この目標を達成できない．どういうことかというと，トレーニングデータに過度に合わせすぎた重み更新をしてしまうからである．

まず，サンプル $(v, f(v))$ からなるデータをトレーニングデータに現れるものとそれ以外のものに分けたとしよう．重み更新の回数を増やしすぎると，トレーニングデータが持っている固有の傾向に合わせすぎて，トレーニングデータでは高い識別率を達成するが，それ以外のデータではむしろ識別率が下がるという現象が起こる．この過剰適合は**オーバーフィッティング**（overfitting）と呼ばれる．実際には，トレーニングデータに対してだけ認識率を上げるのではなく，それ以外のデータに対しても上げなければならない．次に，このことにも注意してトレーニングした結果をどうチェックするかについて説明する．

まず，ニューラルネットの重みをランダムに初期設定する．その後，トレーニングデータを用いて重み更新を一定回数，たとえば，50回繰り返して実行した後，バリデーションデータを用いてニューラルネットの識別率を計算する（バリデーションデータは識別率の計算だけに使い，その際，重み更新は行わない）ということを1つのサイクルとして，このサイクルを繰り返す．すると，50回ごとに行う識別率の測定では，一般に，はじめは増加し，ある時点で減少に転じる．これは，重みの更新がトレーニングデータに過剰に適合したために起こる現象である．重みは，この過剰適合が起こるサイクルの1つ前のサイクルの重み更新でストップして，その結果得られた重みのセットに設定する．

ニューラルネットの設計でオーバーフィッティングを避けることはとても重要である．同じように，重み更新の繰り返し回数だけでなく，その他のハイパーパラメータもオーバーフィッティングを避けるように設定することができる．なお，パラメータの設定以外にもオーバーフィッティングを回避する手法がある．そのような手法にドロップアウトと呼ばれるものがある．**ドロップアウト**（dropout）は，簡単に言うと，ニューラルネット中のニューロンの中から一定の割合のニューロンをランダムに選んで，選ばれたニューロンを無いものとみなして，重み更新を実行するというものである．ただし，無いものとみなすニューロンは重みの更新ごとに選びなおす．直観的には，このように選択された一部のニューロンをドロップアウトすることにより，ニューラルネットの学習性能が低下し，その結果，重み更新の繰り返しにより，トレーニングデータにシャープにチューニングされて過度にトレーニングデータに合わせすぎるということを避けることができる．

その他のハイパーパラメータもバリデーションデータを使って同じように設定され，ニューラルネットの重みとハイパーパラメータが定められる．その後，このように設定されたニューラルネットの最終チェックをするのがテストデータである．テストデータを使って識別率などの性能を求め，適切であれば，それが最終的に求められたニューラルネットとなる．

5.5 ImageNet

1998 年にルカンらが小切手のサインを認証するニューラルネットワークを提唱した．当時，インターネットは発達しておらず，大量のトレーニングデータを入手できなかったため，手書きのサインのデータを使ったのであるが，学習プログラムの性能は，トレーニングデータの質に依存するという側面がある．プリンストン大学のフェイフェイ・リ（Fei-Fei Li，現在スタンフォード大学）は，画像認識の高い認識率のプログラムをつくるための質の高い画像データベースをつくることを目指していた．そして，ついに 2009 年に ImageNet を公表した．画像データベース ImageNet は，2 万 2000 個のカテゴリーから選ばれるラベルのついた1400万個の画像からなる大規模データベースである．このデータベースは，まずインターネットを通して画像を収集し，次いで，その画像に人手でラベルを割り当ててつくる．

ImageNetは相当のエネルギーをつぎ込んでつくった画像データベースではあったが，世の反応は鈍かった．そこで，ImageNetを広く画像認識の研究者に使ってもらうために，2010年から画像認識のコンペティション（ImageNet large scale visual recognition challenge, ILSVRC）が始まった．入力画像ごとに可能性の高いものから5位までのラベルを出力させ，その中に入力の画像のラベルがあれば識別とした（top-5の識別）．このコンペティションでは，ImageNetから選ばれた一部の画像を使う．それは1000個のカテゴリーに分類された120万個の画像からなる．したがって，各カテゴリー当たり約1000個の画像である．画像には，カテゴリー名がラベルとしてつけられている．全体は，トレーニングデータ，バリデーションデータ，テストデータに分かれ，それぞれ120万個，5万個，15万個の画像からなる．そして，2012年のコンペティションで，はじめてディープラーニングを使ったチームが識別率85%で優勝した．これは2位のチームに10%の差をつけての優勝であった．そして，翌年の2013年からは，上位はすべてディープラーニングによるチームが占めるようになった．2015年のコンペティションでは，ついに人間を超えるレベルとなり，

2017年を最後にその役割を終えることとなった．

ところで，ImageNetをつくる過程の中でむずかしいのは，人手によるラベルの割り当てである．画像の枚数が大きすぎるからである．そこで，ImageNetでは，ラベル付けにクラウドソーシング（cloudsourcing）“Amazon Mechanical Turk”を利用している．これはコンピュータの前に座る不特定多数（cloud）に参加を呼びかけ，業務委託（sourcing）する仕組みである．業務委託に応じた人には少額のお金が支払われる．ただし，不特定多数を対象としているため，正しくラベル付けするためにはさまざまな注意が必要となる．ImageNetにはイヌの種類だけで120種がエントリーされているため，作業する人の中には，たとえば，ラブラドールレトリーバーとゴールデンレトリーバーの区別がつかない人も混じることになる．そこで，同じ画像を複数の人にラベル付けさせて，同じラベルを付けた人が一定数以上いる場合だけそのラベルと採用するなどの注意が必要となる．また，ラベル付けという単純作業で集中力が切れてしまうことのないように画像は100枚を1セットとして依頼するなど，さまざまな注意が払われている．

ImageNetはいろいろの試行錯誤を経て完成されたが，フェイフェイ・リは画像のラベル付けの進め方で行き詰まったとき，自分が指導している大学院生との立ち話でAmazon Mechanical Turkのことを聞き，即座にこれを利用すると決断した．この立ち話がなかったら，

ImageNet の完成は何年も遅れることになっていたかもしれない．

2012 年の優勝チームのニューラルネットを簡単に説明しよう．このニューラルネットは AlexNet と呼ばれ，65 万個のニューロンと 60 万個のパラメータ（重み）からなる．また，このニューラルネットを学習するには 5 日から 6 日の間コンピュータを稼働させる必要がある．なお，AlexNet が優勝するのに大きく貢献したのが，ドロップアウトの技法である．

世の中の動きには，社会的な慣性（イナーシャ）が働き，なかなか動き出さないという側面と，いったん動き出すとそのまま進み続けるという側面との両面がある．ディープラーニングに基づいた画像認識の学習アルゴリズムも同じような経緯をたどって発展してきた．AlexNet に使われている手法の基本は，すでに 1998 年のルカンらの論文に発表されていたのだが，このルカンらの論文は，勾配降下法とバックプロパゲーション（6.4 節で説明）を使った，ディープラーニングの最初の論文である．さらに，ディープラーニングで必須の技法となった**畳み込み**を導入した論文でもある．畳み込みは AlexNet でも使われており，これについては，第 6 講で説明する．

この 1998 年のルカンらの論文は AI 研究者の間では広く知られていたが，この論文が世の中の関心をディープラーニングに向かわせるまでにはならなかった．しかし，2012 年の AlexNet のチームの優勝により，ディープラーニングはAIの研究者のコミュニティにとどまらず，コンピュータビジョンの業界に広がり，これにマスコミを含めた世間が反応し，世の中が動き出した．

ところで，ImegeNetが公表された2009年はちょうどAI研究のパラダイムシフトの機運が高まってきたときであり，多くの研究者の関心は学習用のデータではなく，学習プログラムの設計に向けられていた．しかし，AI研究のその後の発展を振り返ると，ImageNetは“縁の下の力持ち”として働き，AI研究の進展に貢献することとなった．

第6講
畳み込みニューラルネットとバックプロパゲーション

6.1 ヒューベルとウィーゼルの発見

ニューロサイエンス（neuroscience）のテーマは多岐にわたるが，その中心的なテーマは，脳のニューロンのネットワークがどのようにして人間の考えや行動を生み出しているのかを解明することである．このように，ニューロサイエンスは人工知能と密接な関係にあり，初期の人工知能研究はニューロサイエンスの知見をもとにして進められることが多かった．

この講で扱う**畳み込みニューラルネット**もニューロサイエンスにヒントを得て，構成されたものである．そして，このニューラルネットは，ディープラーニングの主役の役割を果たしている．この節では，畳み込みニューラルネットの誕生につながったニューロサイエンスの一つの発見について説明する．

1958年生理学者のディヴィッド・ヒューベル（David Hubel）とトルステン・ウィーゼル（Torsten Wiesel）は，ネコの大脳皮質視覚野のニューロンに棒の影に反応するニューロンがあることを発見した．ニューロンの反応は棒状の影の傾きによって決まるという発見である．このように書くと簡単なことのように思われるが，この発見につながる実験はとてもむずかしい．手術で脳を開いたネコを器具で固定したうえで，目の前のスクリーンに傾きをいろいろ変えた線分のパターンを映し出し，ニューロンに挿し込んだ電極を通してニューロンの反応を電気信号として計測する．そもそもニューロンに電極がうまく挿し込まれているかどうかは，このように電気信号を計測して確かめるしかない（うまく挿し込まれていないと，電気信号が計測できない）．

図6.1はヒューベルとウィーゼルのサルを使った実験の論文からの図であるが，ニューロンが線分の傾きに応じて反応を変えることを示している．この図からわかるように，細長い長方形を45度傾けて左下から右上に動かす（図のDの左側）とき，ニューロンが最も強く反応（同じくDの右側）し，その傾きを変えると反応も弱くなる．この業績で2人は1981年のノーベル医学・生理学賞を授与されている．この発見は，脳のニューラルネットワークの入力層のニューロンは，線分という基本的なパターンに反応していること，また，入力層からスタートして層を上がるに従って，各層のニューロンは線分を組み合わせたより複雑なパターンに反応することなどを明らかにしている．

6.2　畳み込みニューラルネットワーク

この講では，3つのブレイクスルーの1つ目，ディープ

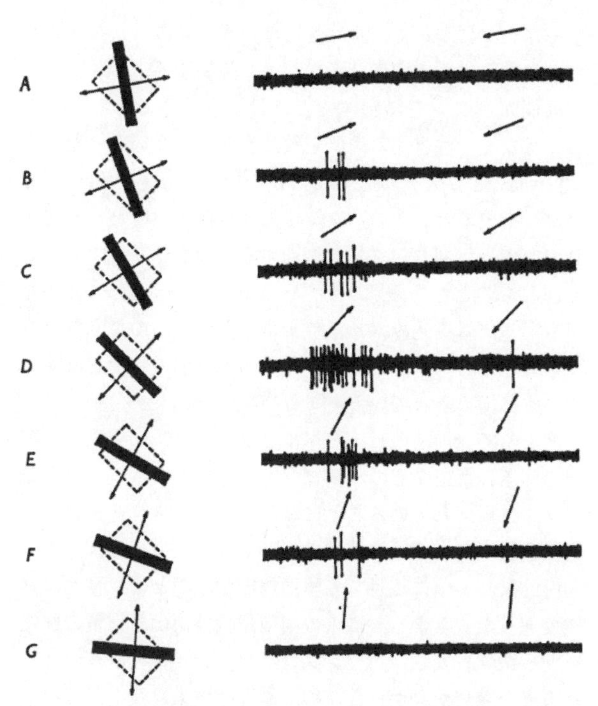

図6.1 サルの視覚野の線分の傾きに選択的に反応するニューロン，この図はヒューベルとウィーゼルの論文 “Receptive fields and functional architecture of monkey striate cortex”, *The Journal of Physiology*, 1 March, 1968 より引用.

ラーニングについて，具体的には，畳み込みニューラルネットワークによる画像認識について説明する．

人間がパタンを識別するときは，全体をぼやっと見るのではなく，注目する箇所を絞る．そうしないと，たとえば，“大”と“太”の区別がつかない．しかも，注目するパタンを絞ると，そのパタンが画像全体の中でどこに置かれていても，同じパタンと識別する．つまり，シフトしても同じものとして識別する．すなわち，識別は**シフト不変**でもある．畳み込みニューラルネットは，このようなローカルな注目とシフト不変という人間の識別の特性を反映するように構成されている．

ところで，前節のヒューベルとウィーゼルが発見した線分の傾きに反応するニューロンも，線分というローカルなパタンに反応していることになる．なお，半世紀を超える研究の歴史のある画像認識の分野では，入力の画像の中の局所的なパタンに注目して画像認識することは，言わば常識であった．しかし，従来の画像認識技術は，大量の画像を使った学習とか，バックプロパゲーションの計算法というような発想がなかったため，最近の成果に遠く及ばなかった．これに対して，大量の画像データを用いてバックプロパゲーションにより学習する画像認識畳み込みニューラルネットは，人間の認識のレベルを超えるまでに進化している．

入力画像のエッセンスを抜き出すための演算に**畳み込み**と呼ばれるものがある．これは数学の分野で古くから使わ

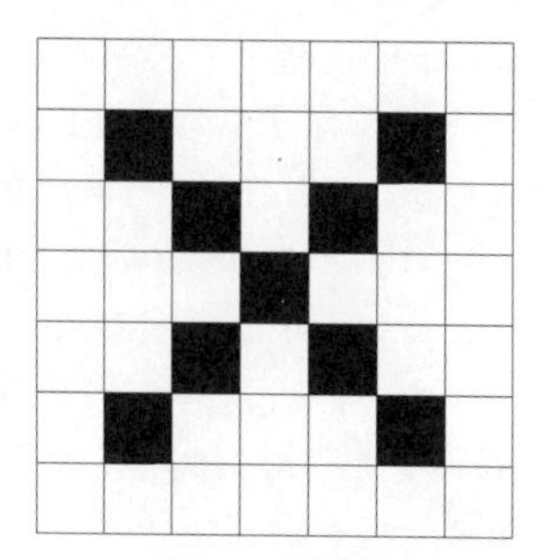

図6.2 画像X

-1	-1	-1	-1	-1	-1	-1
-1	1	-1	-1	-1	1	-1
-1	-1	1	-1	1	-1	-1
-1	-1	-1	1	-1	-1	-1
-1	-1	1	-1	1	-1	-1
-1	1	-1	-1	-1	1	-1
-1	-1	-1	-1	-1	-1	-1

図6.3 画像Xの中の2つのアレイ

れている演算であるが，この演算の説明からスタートする．この演算$*$は，同じ長さのベクトルに対する演算であり，2つのベクトル$a = (a_1, \ldots, a_n)$と$w = (w_1, \ldots, w_n)$に対して，

$$a * w = w_1 a_1 + \cdots + w_n a_n$$

と定義される．このように2つのベクトルの対応する要素を掛け算してその総和をとるという演算である．

これまでは，画像は1と0のベクトルとして表したが，ここでは，説明しやすいように，1と−1のベクトルとして表す．ニューラルネットは，一般に，数値を並べたベクトルを入力し，数値を並べたベクトルを出力する．しかし，1つの数値では，2次元的な広がりをもつパタンを表すことはできない．一方，画像認識では，2つのパタンが近い（似ている）か，遠い（似ていない）かの評価がどうしても必要となる．そこで，基準となるパタンをまず決めておいて，そのパタンとの類似度を数値として求める演算を導入することにする．その演算が畳み込み演算である．具体例でみていこう．

図6.2の画像Xは，このあとの説明では，“×”と表して話を進める．図6.3は，これを7×7格子面に配置した1と−1で表したものである．この画像のグレーの領域や外枠で囲った領域などの3×3格子面に注目しよう．このように画像を格子面で切り取ったものを**アレイ**と呼ぶことにする．図6.4を基準となるパタンとする．この基準となるパタンのことを**カーネル**（kernel）と呼ぶ．この場合のカーネルは，右上がりの対角線という特徴を表している．画像のアレイとカーネルに畳み込み演算を施せば，切り取ったアレイとカーネルの類似度がわかる．ここで，畳み込み演算をするときは，アレイはベクトルに戻して計算

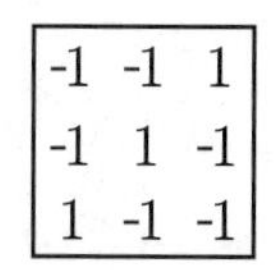

図6.4　右上がりの対角線のカーネル

する．以降ではアレイとベクトルは同じものとみなし，必要に応じてアレイとみたり，ベクトルとみたりすることにする．

次に，具体例で畳み込み演算の計算をしてみることにしよう．

まず，図6.3のグレー部分のアレイと図6.4のカーネルに畳み込み演算を施すと，

$$\begin{array}{|c|c|c|}\hline -1 & -1 & 1 \\ \hline -1 & -1 & -1 \\ \hline -1 & -1 & 1 \\ \hline \end{array} * \begin{array}{|c|c|c|}\hline -1 & -1 & 1 \\ \hline -1 & 1 & -1 \\ \hline 1 & -1 & -1 \\ \hline \end{array} = 3$$

となる．この計算結果は，グレー部分とカーネルの類似度が3であることを示している．ところで，この計算では，対応するポジションの数字が，1と1，または，-1と-1のように一致する場合，掛け算の結果はどちらも1となる．一方，1と-1，または，-1と1のように一致しない場合はどちらも-1となる．アレイをベクトルaで表し，カーネルをベクトルwで表すことにしよう．すると，$a * w$の演算の結果は，一致しているポジションの個数から，不一致のポジションの個数を引いたものとなる．

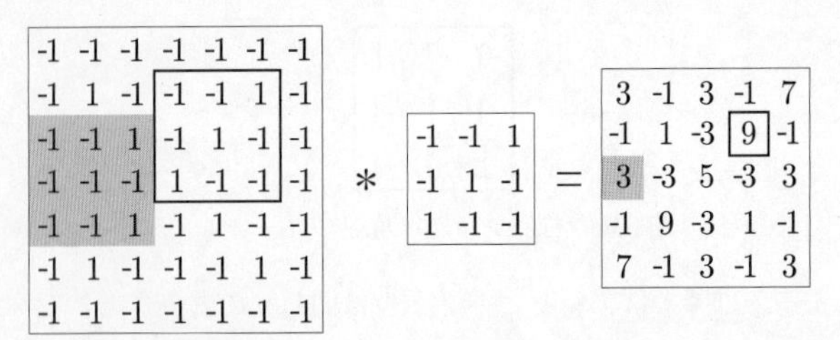

図6.5　フィーチャーマップの計算

この例の場合は，一致しているものの個数が6で，不一致の個数が3であるので，演算結果は3となる．同じように，切り取るアレイを図6.3の黒枠に変えて同じ計算をすると，9個のポジションすべてで一致しているので演算結果は9となる．

$$\begin{array}{|c|c|c|}\hline -1 & -1 & 1 \\ \hline -1 & 1 & -1 \\ \hline 1 & -1 & -1 \\ \hline \end{array} * \begin{array}{|c|c|c|}\hline -1 & -1 & 1 \\ \hline -1 & 1 & -1 \\ \hline 1 & -1 & -1 \\ \hline \end{array} = 9$$

このように，一致不一致が簡単に計算されるため，画像の表現を1と0のベクトルから1と-1のベクトルに変えた．

次に畳み込み演算を拡張する．これまでの例では，畳み込み演算は2つの3×3アレイに施した．これを図6.5に示すように，7×7アレイと3×3アレイに対して施す演算に拡張する．図6.5からもわかるように，7×7アレイの中で，3×3アレイのカーネルを平行移動して動かす．ただし，7×7の枠内の平行移動なので，横方向と縦方向ともに5マス目分動く．この平行移動のたびに画像の3×3アレイとカーネルに畳み込み演算を施す．その演算結果を5×5アレイとしたものが，図6.5である．この図は，フィーチャーマップと呼ばれる．この場合のカーネルは，右上がりの対角線という特徴（feature）を表している．フィーチャーマップは，カーネルの特徴が画像の中でどう分布しているかを表しているマップである．

ところで，“×”を識別するのに，右上がりの対角線という特徴だけでは足りない．他にもいろいろの特徴が考えられるが，ここでは，次のような特徴を取りあげる．

・右上がりの対角線上に“1”が並ぶ．

・右下がりの対角線上に“1”が並ぶ．

・2つの対角線が交わる箇所に交差のパタンが現れる．

図6.6は，図6.5をこれらの3個のカーネルに拡張したものである．特に，畳み込み演算の結果が“9”となっている箇所は，画像のアレイとカーネルが一致しているところなので，特徴がはっきり表れている．

ところで，これまでは，画像×を識別するためのカーネルは与えられているとして話を進めてきた．ディープラーニングが本領を発揮するのは，ニューラルネットワークが学習により，カーネルを自ら獲得するところにある．そのため，カーネルを表すベクトルは重みと同じように $w=(w_1, \dots, w_n)$ と表している．また，畳み込み演算は，

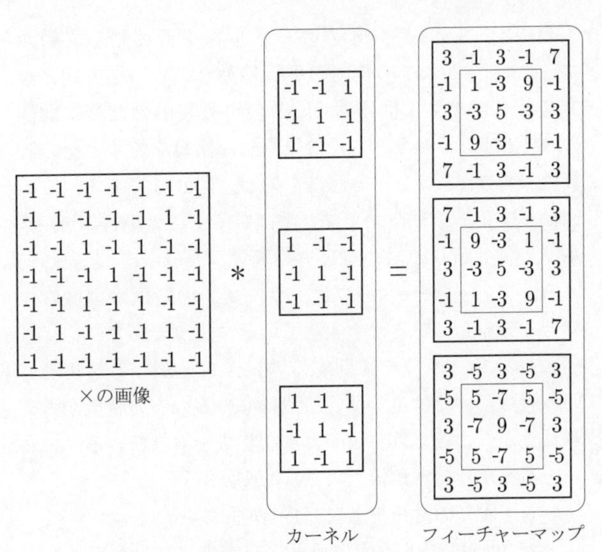

図6.6　3つのフィーチャーマップの計算

ニューロンの計算の基本式 $z = w_1 a_1 + \ldots + w_9 a_9$ そのものである．トレーニングにより，カーネルが学習されたとしよう．その後は，図6.7のようにカーネルに相当する重みをもったニューロンを，入力の 7×7 画像の上に敷き詰めれば，図6.5のフィーチャーマップを計算する，1層のニューラルネットワークが得られる．このニューラルネットワークでは，図6.7の9本のラインを傘の骨9本に対応させると，骨の9本セットがオーバーラップしながら，入力画像の上に林立するようになる．

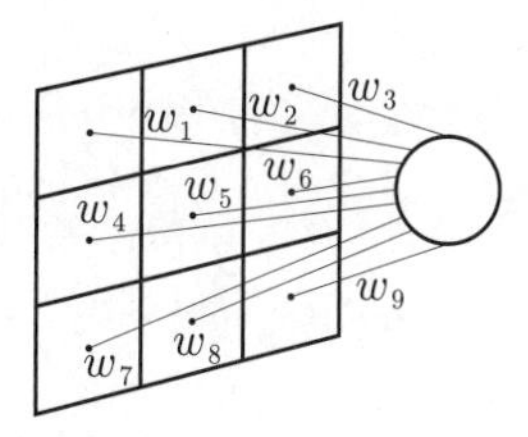

図6.7 畳み込み演算用の重みつきラインの接続パタン

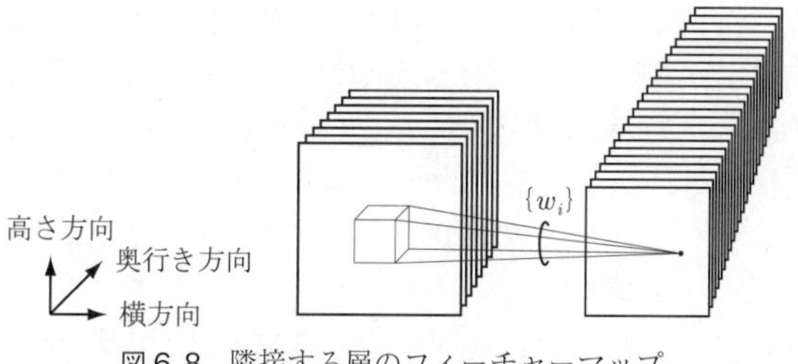

図6.8 隣接する層のフィーチャーマップ

これまでは，ニューラルネットワークの層は一直線上に並んだニューロンで表していた．これからは，層は積み重なったフィーチャーマップで表すこともある．図6.8では，隣接する2つの層を表している．左側はフィーチャーマップを積み重ねた下位の層で，右側は上位の層である．上位の層のフィーチャーマップの1つのニューロンには，下位の層の立方体の中のニューロンから入力のラインが引かれていることを表す．上位の層のニューロンはこれと同様に下位の層の立方体のニューロンから入力が入る．

立方体のひとつの例として，図6.6の3枚のフィーチャーマップの中央の3つのアレイから構成される立方体を考えよう．下位の層の立方体はこのようにフィーチャーマップからアレイを抜き出してつくられ，立方体は3×3×3アレイとなる．この場合，ちょうど，図6.5で3×3アレイを平行移動して畳み込み演算により5×5フィーチャーマップが計算されたように，図6.8に示すようになる．すなわち，3×3×3立方体を高さ方向と横方向に平行移動して（奥行き方向は固定），畳み込み演算により，上位の層のフィーチャーマップ（この場合は一番前の層）が計算される．ただし，図6.5の場合と同様，上位の層のニューロンの計算のための重み$\{w_i\}$が共有される（重みのセット$\{w_i\}$は各ニューロンで共有）．このようにして，下位の層から選ばれた3枚のフィーチャーマップの特徴が上位の層に送られ，上位のフィーチャーマップがつくられる．入力画像の特徴を抽出して第1層のフィーチャーマップができたように，一般に，下位の層のフィーチャーマップから特徴を抽出して，上位の層のフィーチャーマップがつくられる．このようにして，たとえば，この例のように2つの対角線が中央部で交わっているなどという，踏み込んだ特徴が抽出される．畳み込みニューラルネットの隣接する層の間はすべてこのようにラインで接続される．

これまでは，カーネルは図6.6の3種類としてきたが，

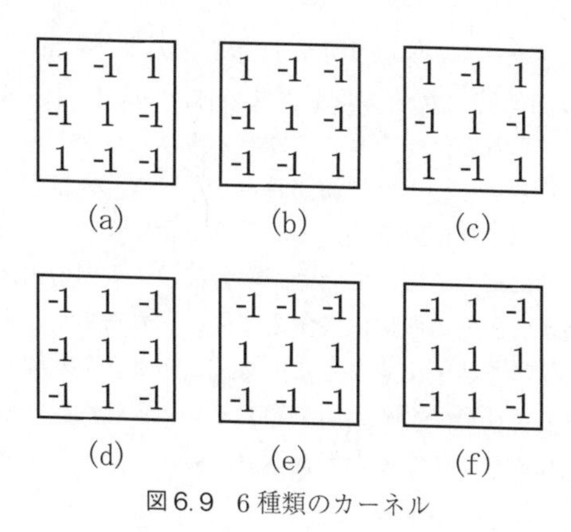

図6.9　6種類のカーネル

さらに3種類のカーネルを追加し，合計6種類とする．追加するカーネルの特徴は次の通りである．

・中央の縦線上に“1”が並ぶ．

・中央の横線上に“1”が並ぶ．

・縦線と横線が交わる箇所に交差のパタンが現われる．

これら6種類のカーネルを図6.9に示す．これからは，これら6種類のカーネルは与えられているという前提で話を進めるが，実際は，教師あり学習によりニューラルネット自身がこれらのカーネルを学習し、図6.6の3種類のカーネルにより“×”を識別したのと同じように，図6.9の6種類のカーネルにより，“×”や“＋”を識別するようになる．

畳み込みニューラルネットは，教師あり学習をすることにより，カーネルを表す重み自体を次のように計算する．学習の開始時，カーネルを表す $w_1, \ldots, w_n$ には，乱数が割り当てられる．すなわち，カーネルは，ランダムに初期設定される．このように初期設定した後は，大量の入力データを使った勾配降下法による重み更新により，カーネルは自動的に形づくられていく．学習後は，入力の画像が入力の層から出力の層に伝搬するに従い，カーネルは画像のエッセンスを抜き出すように働く．このような教師あり学習の重み更新で，今や人間を超えるレベルの性能のものがつくられるまでになった．畳み込みニューラルネットの重み更新，恐るべしである．

入力の画像サイズを 256×256 格子面としよう．この画像のどこかの 32×32 アレイに，たとえば，“×”が描かれているとする．すると，その“×”がどのポジションにあったとしても，人間は簡単に“×”と識別できる．このような識別能力は画像認識するニューラルネットにとっても必須である．そこで，入力の画像がシフト（平行移動）しても出力が変わらないという性質を**シフト不変**と呼ぶことにする．画像認識する畳み込みニューラルネットはシフト不変でなければならない．

畳み込みニューラルネットにシフト不変の性能をもたせる操作に**プーリング**（pooling）と呼ばれるものがある．図6.10を用いて，プーリングについて説明する．この例では，5×5 の元の画像が 3×3 に縮小されている．この操作では長さが $1/2$ に縮小されるのであるが，たまたま

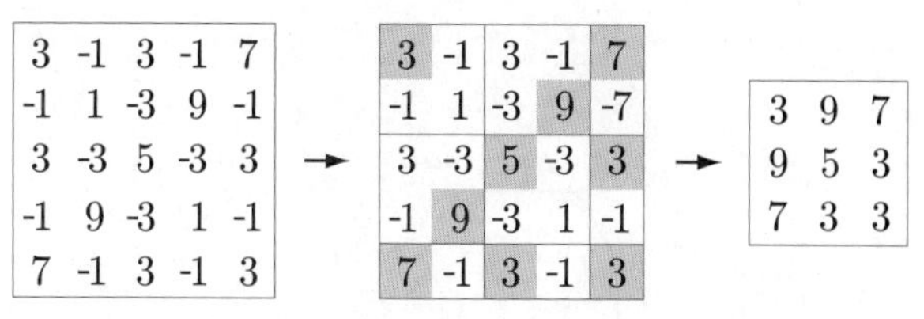

図6.10　プーリングの例

5が2で割り切れなかったために，3×3に縮小されている．この場合は，画像のサイズが6×6であっても，3×3に縮小される．プーリングは，この図のように，元の画像を2×2の領域に分割したうえで，各領域の最大値をピックアップするという操作である．縮小率はいろいろ変わることもあり，また，最大値ではなく，平均値をとるプーリングもある．“pooling” とは，もともと共通の目的のために何かを集めることを意味する．この場合は，2×2の領域の4つの数字がプールされたものとなる．

実際の畳み込みニューラルネットは，フィーチャーマップをつくる層とプーリングする層が交互に繰り返すように構成される．次節で，その構成について詳しく見ていこう．

6.3　畳み込みニューラルネットの構成例

画像認識の入力を具体的に決めたうえで，それを認識する畳み込みニューラルネットを具体的に与える．まず，識別対象の記号を次の10種類とする．ここでは，個々の記

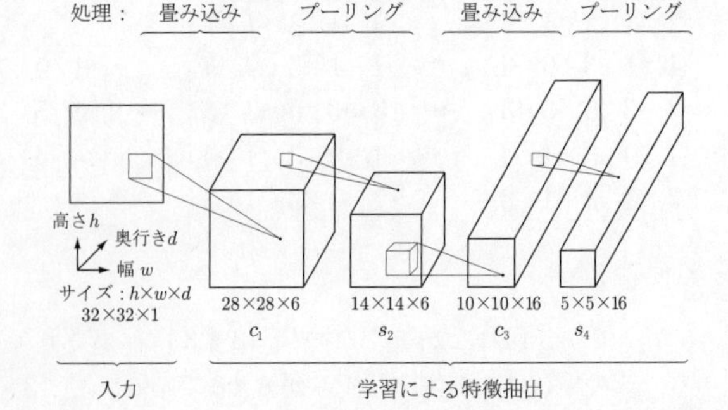

(a)

図6.11　畳み込みニューラル

号というよりも，10種類という種類の数に注意しておいてもらいたい．

$\times + \vee \wedge < > \vdash \dashv \sqsubset \sqsupset$

図6.11は，畳み込みニューラルネットの全体像である．この図の直方体は，図6.8のフィーチャーマップを積み重ねたものを表している．たとえば，最初の直方体 c_1 はサイズが $28 \times 28 \times 6$ となっているが，これは 28×28 のフィーチャーマップが6枚重ねられていることを表す．これがニューラルネットの第1層となっている．このように第1層は4704（$= 28 \times 28 \times 6$）個のニューロンから構成されている．このネットワーク全体は $c_1, s_2, c_3, s_4, f_5, f_6$ の6層からなる．このように，各層のサイズは $h \times w \times d$ で表しているが，それぞれ高さ h,

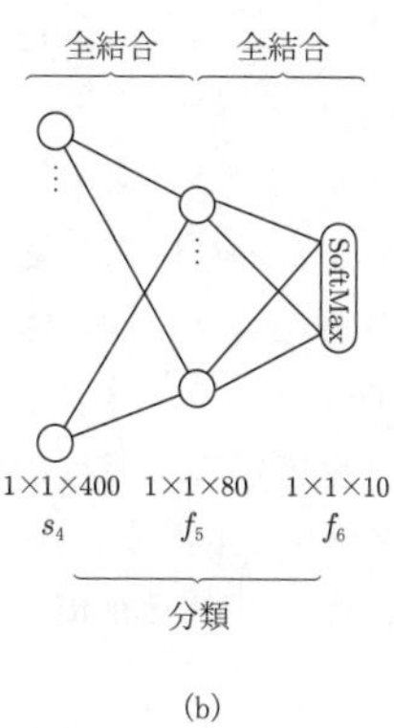

(b)

ネット $N_w(v)$

幅 w，奥行き d を表す．図 6.11 のネットワークの構成や各々のフィーチャーマップのサイズや枚数は，ルカンらの畳み込みネットワークの論文のものを用いている（注 4）．

まず，前節の場合と異なり，畳み込み演算は 5×5 アレイに対して施される．この演算で 5×5 格子面の中心のマスに演算結果が集約されるので，四方の縁から 2 行ずつ削られる．そのため，一般に，フィーチャーマップのサイズは，高さも幅も 4 だけ減じる．その結果，入力の画像のサイズ 32×32 は c_1 で 28×28 となり，s_2 の 14×14 は c_3 で 10×10 となる．一方，プーリングは前節の図 6.10 と同じものを使うので，c_1 の 28×28 は s_2 で 14×14 となり，c_3 の 10×10 は s_4 で 5×5 となる．この図で，サイズに関してわかりにくい箇所は，s_2 の 6 枚のフィーチャーマップが c_3 で16枚のフィーチャーマップとなる点である．これは，s_2 の6枚のフィーチャーマップからの抜き出し方を16通りにわたって万遍なく動かして c_3 の16枚のフィーチャーマップをつくっているからである．16通りの抜き出し方はルカンらの論文に説明されている（注5）．ところで，図6.11のニューラルネットでは，s_2 のプーリングにより，解像度を下げてしまうのであるが，c_3 の層ではフィーチャーマップを6枚から16枚に増やして，プーリングによって失われた情報を補償するようにしている．

図6.11に示すように，このニューラルネットは，特徴を抽出する前半部と抽出された特徴を分類する後半部に分けられる．前半部の最後のプーリングの結果得られた s_4 は，400（$=5\times5\times16$）個のニューロンからなる．この図では，フィーチャーマップを16枚重ねたものもニューロン400個を1列に並べたものも同じ s_4 で表し，これらは実質的に同じものである．400個のニューロンを並べたものは，サイズ $1\times1\times400$ として表している．

一方，f_5 と f_6 の2層からなる後半部では，10種類の記号に対応するベクトルを出力する．これらの2層の間では，すべてのニューロンのペアの間にラインが張られる．したがって，f_5 と f_6 のニューロンの間には800（$=80\times10$）本のラインが引かれる．つまり，全結合である．同じように，s_4 と f_5 の間も全結合である．この図のSoftMax（8.3節で詳しく説明）の出力は10個のニューロンからなっているが，これが $N_w(v)$ の出力である．この出力を $(p_1, \dots, p_{10})$ と表す．このベクトルは $N_w(v)$ の入力 v が i 番目の記号である確率が p_i であることを意味する．ここに，$0 \leqq p_i \leqq 1$ で，$p_1 + \dots + p_{10} = 1$ である．つまり，$N_w(v)$ は入力 v が各記号である確からしさを確率として表して，出力する．以上，畳み込みニューラルネットの具体例について説明した．

次に，図 6.11 の畳み込みニューラルネットのトレーニングについて説明する．$N_w(v)$ は教師あり学習でトレーニングする．このニューラルネットの目標は，記号の画像 v を入力したとき，その記号を表すベクトルを出力することである．入力の 10 種類の記号 $\times, +, \dots,$ コ に 1 から 10 までの番号を割り当てる．画像 v が i 番目の記号であるとき，関数 $f(v)$ を

$$f(v) = (0, \dots, 0, 1, 0, \dots, 0)$$

と定義する．ここに，右辺は長さが 10 のベクトルであり，i 番目の要素が“1”で，他はすべて“0”のベクトルである．このようなタイプのベクトルは，**ワンホットベクトル**（one hot vector）と呼ばれる．このニューラルネット $N_w(v)$ の目標は，この関数 $f(v)$ で表される．ベクトル $(0, \dots, 0, 1, 0, \dots, 0)$ の 10 個の要素は，ニューラルネット $N_w(v)$ の f_6 の層の 10 個のニューロンに対応している．

このように，畳み込みニューラルネット $N_w(v)$ の目標は関数 $f(v)$ で与えられた上で，$N_w(v)$ の出力と目標

の値とのズレが誤差として定義される．具体的には，$N_w(v) = (a_1, ..., a_{10})$ と表し，$f(v) = (t_1, ..., t_{10})$ と表すとして，**2乗和誤差** $E(v)$ を

$$E(v) = \frac{1}{2}((t_1 - a_1)^2 + \cdots + (t_{10} - a_{10})^2)$$

と定義する．これは入力が画像 v のときの誤差である．なお，係数の1/2については，次のバックプロパゲーションの節で説明する．

教師あり学習では，入力が v のときの正しい出力 $f(v) = (t_1, ..., t_{10})$ が教師が与える信号となり，この信号を用いて教師あり学習をする．すなわち，誤差 $E(v)$ を減少させるように，膨大な数の入力画像に対して勾配降下法により重み更新を繰り返す．これが畳み込みニューラルネットの学習となる．このニューラルネットは6層からなるので，6層分の重みのセットがある．このセットのすべての重みが更新の対象となる．

ところで，カーネルはランダムに初期設定されるにもかかわらず，誤差を減少させるように重み更新を繰り返すだけで，入力の画像を識別するという目的にかなったカーネルが自動的に形成される．ニューラルネットの重みの個数は何百万，何千万にも及ぶこともあるので，そこでは超絶した計算が行われていることになる．

ところで，これまでの説明では省略したことがある．ニューラルネットの各ニューロンが出力する値の調整についてである．ニューロンへの入力はある適正な範囲に収めて

おき，ニューロンが適切に働くようにする必要がある．たとえば，勾配降下法では，ニューロンの出力の $\sigma(x)$ で計算される場合は，この関数の増減のカーブの傾きが関係してくるからである．たとえば，図 6.5 のフィーチャーマップの要素の値に関して言うと，各要素に 1/9 を掛けて，要素の値 a を $-1 \leqq a \leqq 1$ の範囲に収めるようにする．そうしないと，フィーチャーマップのサイズに応じて要素の値も大きくなってしまう．この節の説明では，畳み込みニューラルネットワークの計算を解釈することを優先して，出力値の標準化については説明を省略する．

畳み込みニューラルネットワークによる画像認識は，膨大な量の画像データと計算パワーに支えられたものである．画像データを用いたニューラルネットワークの重みを更新する手順については，次のバックプロパゲーションの節で説明する．

6.4 バックプロパゲーション

バックプロパゲーションの重み更新では，第 4 講の図 4.6 で示した原理に従って，誤差を減少する重み更新を繰り返す．この原理の理解で十分と思われる方は，この節を飛ばして 6.5 節に進んでも問題ない．

ディープラーニングが世にこれほどまでのインパクトを与えたのは，さまざまな発見が重なったからで，その 1 つにバックプロパゲーション（backpropagation，逆伝搬法）と呼ばれる計算法がある．ニューラルネットに入力が入ると，信号が伝搬していき，やがては出力から結果が出てくる．これは，順方向の伝搬である．これに対して，バックプロパゲーションでは出力から入力に向かって，計算が逆方向に進む．バックプロパゲーションで計算するのは誤差関数のカーブの接線の傾きである．すなわち，勾配降下法により重み更新するときに必要となる，誤差関数のカーブの接線の傾きを計算するのが，バックプロパゲーションと呼ばれる計算法である．なお，バックプロパゲーションは，畳み込みニューラルネットを含むニューラルネット全般に適用できる計算法である．

まず，誤差を定義して，この計算法を詳しく見ていくことにしよう．出力層は d 個のニューロンからなっていて，ニューラルネットの出力は長さ d のベクトルとする．入力が v のときのニューラルネットの出力を $N_w(v)$ と表す．また，ニューラルネットに計算させたい入力と出力の対応関係を関数 $f(v)$ で表す．すなわち，$f(v)$ はニューラルネットの計算の目標である．また，$N_w(v)$ の出力ベクトルと $f(v)$ が指定するベクトルをそれぞれ

$$N_w(v) = (a_1, \ldots, a_d),$$
$$f(v) = (t_1, \ldots, t_d)$$

と表す．このように出力ベクトルを表したうえで，誤差を

$$E(v) = \frac{1}{2}((t_1 - a_1)^2 + \cdots + (t_d - a_d)^2)$$

と定義する．この誤差は**2乗和誤差**と呼ばれる．ここで

注意したいのは，入力が任意に選んだ v のときの誤差であるということである．このように誤差を定義したうえで，バックプロパゲーションは偏微分 $\dfrac{\partial E}{\partial w_*}$ を計算する．ここに，w_* は偏微分を計算するために注目する重みである．つまり，w_* はニューラルネットワークの重み $w_1, ..., w_n$ の中から任意に一つ選ばれた重みである．この偏微分 $\dfrac{\partial E}{\partial w_*}$ が計算できれば，w_* 以外の値はすべて固定して，w_* だけを動かしたときの誤差カーブの接線の傾きが求まることになる．すると，第4講の図4.6で説明したときと同じ議論により，$w_* \leftarrow w_* - \eta \cdot \dfrac{\partial E}{\partial w_*}$ の代入文により重みを更新すれば，誤差 E は減少することになる．ここに，η は更新による重み変更の刻みを表す学習率である．ここまでは，入力の v と w_* 以外の重みはすべて固定しての話である．トレーニング全体では，v は膨大な画像にわたって動かし，個々の v では重み w_* はすべての重みにわたって動かして，重み更新を繰り返す．しかし，以降の議論では，入力 v と w_* 以外の重みは固定することにし，その後で v も w_* も動かして最終的な結論に導く．それでは，$\dfrac{\partial E}{\partial w_*}$ の計算に進もう．

偏微分 $\dfrac{\partial E}{\partial w_*}$ の計算に入る前に，まず，この計算で繰り返し使われる**チェインルール**（chain rule）について説明する．

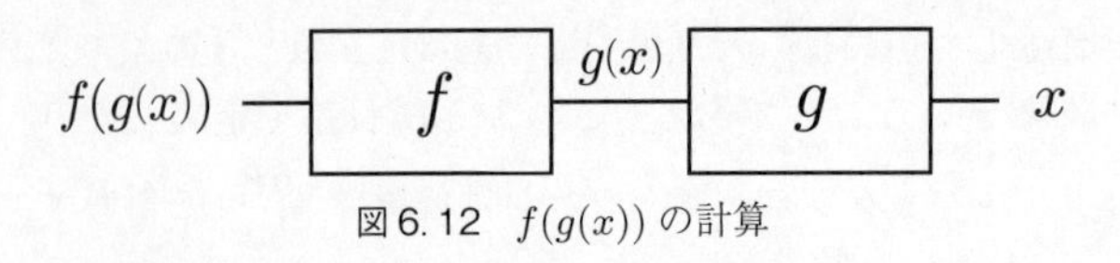

図6.12　$f(g(x))$ の計算

チェインルールとは，図6.12のように，関数 f と g を連結した関数 $f(g(x))$ の微分は，f の微分と g の微分の積として表されるというルールである．これを，偏微分として表すと，

$$\frac{\partial f(g(x))}{\partial x} = \frac{\partial f(g(x))}{\partial g(x)} \frac{\partial g(x)}{\partial x}$$

となる．この式で $g(x)$ を u で表すと，

$$\frac{\partial f(g(x))}{\partial x} = \frac{\partial f(u)}{\partial u} \frac{\partial g(x)}{\partial x}$$

となる．図6.12は，$f(g(x))$ の計算をブロック図として表したものである．このように，偏微分が施される関数が $f(\ )$ のカッコ内に $g(x)$ が組み込まれた入れ子になっている．この入れ子構造はロシアの民芸品“マトリョーシカ”を思い浮かべるとイメージしやすい．関数の計算としては入れ子になっているにもかかわらず，偏微分の計算では $\frac{\partial f(u)}{\partial u} \frac{\partial g(x)}{\partial x}$ というように，言わば $g(x)$ が $f(x)$ と同じレベルに引き上げられている．このようにチェインルールは，$f(g(x))$ のカーブの接線の傾きが，$f(x)$ のカーブの接線の傾きと $g(x)$ のカーブの接線の傾きを単純に掛けたものになると解釈できる．これが，チェインルールの

要であり，このことがニューラルネットの出力を重みで偏微分するという計算をとてもシンプルなものにしている．

$\dfrac{\partial E}{\partial w_*}$ の計算に戻ろう．ニューラルネットの誤差は

$$E = \frac{1}{2}((t_1 - a_1)^2 + \dots + (t_d - a_d)^2)$$

と定義されるので，偏微分 $\dfrac{\partial E}{\partial w_*}$ は

$$\begin{aligned}\frac{\partial E}{\partial w_*} &= \frac{\partial}{\partial w_*}\frac{1}{2}((t_1 - a_1)^2 + \dots + (t_d - a_d)^2) \\ &= (t_1 - a_1)\frac{\partial a_1}{\partial w_*} + \dots + (t_d - a_d)\frac{\partial a_d}{\partial w_*} \qquad (1)\end{aligned}$$

となる．ここで，チェインルールより

$$\begin{aligned}\frac{\partial}{\partial w_*}\frac{1}{2}(t_1 - a_1)^2 &= \frac{\partial}{\partial(a_1 - t_1)}\left(\frac{1}{2}(a_1 - t_1)^2\right)\frac{\partial(a_1 - t_1)}{\partial w_*} \\ &= \frac{1}{2}\cdot 2(a_1 - t_1)\frac{\partial(a_1 - t_1)}{\partial w_*} \\ &= (a_1 - t_1)\frac{\partial(a_1 - t_1)}{\partial w_*}\end{aligned}$$

と変形している．他の項も同様である．この計算からわかるように，誤差の定義の 1/2 の定数は，誤差を偏微分して得られる式をすっきりさせるためのものである．この式の $a_1, \dots, a_d$ は，ニューラルネットの出力層のニューロンの出力である．したがって，$\dfrac{\partial a_1}{\partial w_*}, \dots, \dfrac{\partial a_d}{\partial w_*}$ は d 個のニューラルネットの出力の偏微分である．そこで，$a_1, \dots, a_d$ から任意の 1 つを選び，それを添え字なしの a で表すことにする．そのニューロン a の 1 つ下の層への接続が図 6.13 の (a) のように表されるとする．以降で

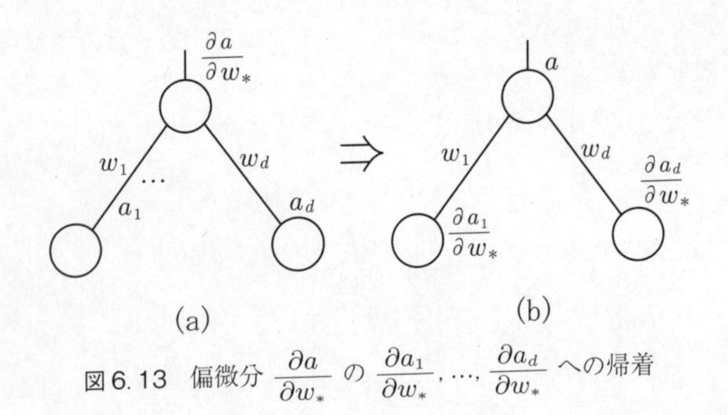

図 6.13　偏微分 $\frac{\partial a}{\partial w_*}$ の $\frac{\partial a_1}{\partial w_*}, \dots, \frac{\partial a_d}{\partial w_*}$ への帰着

は，この図に示すように，$\frac{\partial a}{\partial w_*}$ の計算は $\frac{\partial a_1}{\partial w_*}, \dots, \frac{\partial a_d}{\partial w_*}$ の計算に帰着できることを示す．

この帰着は，出力層とその 1 つ下の層に限ったことではなく，一般に，隣接する 2 つの層の間でも成立する関係になっている．そのため，図 6.13 の (b) の $\frac{\partial a_1}{\partial w_*}, \dots, \frac{\partial a_d}{\partial w_*}$ の任意の 1 つを新しく (a) の $\frac{\partial a}{\partial w_*}$ とみなせば，この図の帰着が示すようにもう 1 つ下の層に帰着することができる．このように，$\frac{\partial}{\partial w_*}$ の計算の帰着がニューラルネットの各層を下りていくことになる．最後に，w_* の重みが現れている層まで行きつくと，$\frac{\partial}{\partial w_*}$ が計算されるので，帰着はそこで止まる．このようにして，偏微分 $\frac{\partial E}{\partial w_*}$ が計算されるので，$w_* \leftarrow w_* - \eta \cdot \frac{\partial E}{\partial w_*}$ の代入文により重みの更新ができる．そこで，以降では図 6.13 の帰着の説明に進む．

図 6.13 の（a）のトップのニューロンの計算を

$$z = w_1 a_1 + w_2 a_2 \cdots + w_n a_n$$
$$a = \sigma(z)$$

と表すと，チェインルールより

$$\begin{aligned}\frac{\partial a}{\partial w_*} &= \frac{\partial \sigma(z)}{\partial w_*} \\ &= \frac{\partial \sigma(z)}{\partial z}\frac{\partial z}{\partial w_*} \\ &= \frac{\partial \sigma(z)}{\partial z}\left(w_1 \frac{\partial a_1}{\partial w_*} + \ldots + w_n \frac{\partial a_n}{\partial w_*}\right) \\ &= (1-\sigma(z))\sigma(z)\left(w_1 \frac{\partial a_1}{\partial w_*} + \ldots + w_n \frac{\partial a_n}{\partial w_*}\right). \quad (2)\end{aligned}$$

ここで，最後の導出では

$$\frac{\partial \sigma(z)}{\partial z} = (1-\sigma(z))\sigma(z)$$

を使っている（注 6）．

このようにして，$\frac{\partial a}{\partial w_*}$ の偏微分は 1 つ下の層の偏微分 $\frac{\partial a_1}{\partial w_*}, \ldots, \frac{\partial a_n}{\partial w_*}$ に帰着されることになる．ただし，$\{w_1, \ldots, w_n\}$ の重みの中には注目する重み w_* は現れていないとしている．このように，帰着を繰り返していったところ，帰着された $\frac{\partial a_1}{\partial w_*}, \ldots, \frac{\partial a_n}{\partial w_*}$ の中に重み w_* が現れたとする．すなわち，$\frac{\partial a_i}{\partial w_*}$ の a_i を新しく a とおいて，

その a の計算を $z=w_1a_1+\cdots+w_na_n$，$a=\sigma(z)$ とおいたところ，この式の $\{w_1, ..., w_n\}$ の重みの中に w_* が現れたとする．ここに，

$$w_* = w_i$$

とする．すると，

$$\begin{aligned}\frac{\partial z}{\partial w_*} &= \frac{\partial z}{\partial w_i} \\ &= a_i \end{aligned} \tag{3}$$

となるので，下の層に偏微分を帰着させる必要がなくなる．

これまでは，$\dfrac{\partial}{\partial w_*}$ の w_* は重みと仮定して話を進めてきたが，実際は

$$z = w_1a_1+\cdots+w_na_n+b$$

の定数 b も更新の対象である（定数も学習され，誤差を減少させる値に更新される）．そのため，w_* が定数 b の場合も考えておく必要がある．この場合は，

$$\begin{aligned}\frac{\partial z}{\partial w_*} &= \frac{\partial z}{\partial b} \\ &= 1 \end{aligned} \tag{4}$$

となる，このように，w_* が w_i の場合も b の場合も，ここで帰着が終わる．

まとめると，図 6. 13 の (a) の $\dfrac{\partial a}{\partial w_*}$ は，(2)により，

$$\frac{\partial \sigma(z)}{\partial z}\left(w_1\frac{\partial a_1}{\partial w_*}+\ldots+w_n\frac{\partial a_n}{\partial w_*}\right)$$

に展開され，これらの $\dfrac{\partial a_1}{\partial w_*}, \ldots, \dfrac{\partial a_n}{\partial w_*}$ も同じように展開され，展開する必要がなくなったところで，(3)や(4)で定数となる（入力の v が固定なので，(3)のニューロンの出力 a_i も定数）．このようにして，重み w_* に注目したときの誤差の関数のカーブの接線の傾きが求められる．

バックプロパゲーションはその名の通り，$\dfrac{\partial E}{\partial w_*}$ の計算では出力の層から入力の層に向けて逆戻りしながら計算を繰り返す．結局この計算では，重み w_* の値を少しだけ変化させたとき，その変化分が出力層に向けて伝搬しているルートをすべて追跡して，出力層のニューロンの値の変化分を計算していることになる．これまでは，話をわかりやすくするために 1 つの重み w_* に注目して，$\dfrac{\partial E}{\partial w_*}$ を計算した．しかし，実際にはすべての重み w に対して $\dfrac{\partial E}{\partial w}$ を同時に並行して計算しながら，入力層に向けて計算を進める．すべての重みに対して，誤差の変化分の割合を計算し，最後に $w \leftarrow w - \eta \cdot \dfrac{\partial E}{\partial w}$ の重み更新をすべての重み w に対して一挙に並行して行う．このように，重み更新で変更すべき変化の割合だけを計算しておき，実際の変更は一挙に同時に行うということも，更新手順のポイントである．ニューラルネットの重みの個数は，100 万，1000 万を超えることもよくあり，バックプロパゲーションなくしてニューラルネットのトレーニングはないといっても言い過ぎではない．

これまで説明したことは，1 つの入力 v に対する重み更新の計算手順である．実際の更新では，膨大な数の入力 v に対して，この更新を繰り返す必要がある．そこで，この繰り返しを効率よく行うために，入力の v をランダムに選んで集めたセット $\{v_1, ..., v_s\}$ をつくり，このセットのすべての v に対して $\dfrac{\partial E(v)}{\partial w}$ を計算して，重み更新をまとめて一挙に実行する．この場合のセット $\{v_1, ..., v_s\}$ はミニバッチ（mini batch）と呼ばれる．

以上，重み更新の手順のバックプロパゲーションについて，そのあらましを説明した．この手順の根底にある原理は勾配降下法である．図6.14は，ミニバッチを用いた勾配降下法で，誤差が減少していく様子を表した模式図である．ミニバッチ $\{v_1, ..., v_s\}$ を用いた重み更新では，個々の $v_1, ..., v_s$ による変化分をつないだものが，$\{v_1, ..., v_s\}$ による変化分になる．この変化分は，選ばれた $v_1, ..., v_s$ に依存して決まるので，誤差関数のカーブの最大傾斜線に正確に沿うものではない．しかし，図6.14に示すように，全体としては最大傾斜線にほぼ沿うようにして降下する．

この方法には根本的な問題点が潜んでいる．図6.14のような状況では，重み更新で誤差の極小点 A には向かうが，必ずしも誤差の最小点 B に向かうものではない．最小点 B に向かわせるためには，いったん誤差が増加しても更新を繰り返して，その先の誤差最小点を目指さなければならないこともある．この指摘は古くからあった．し

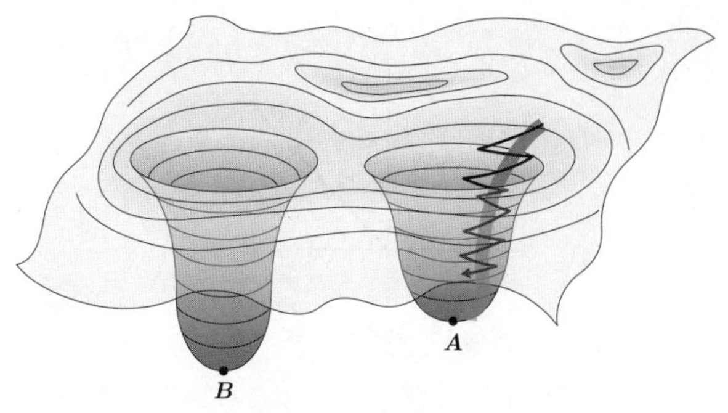

図6.14 勾配降下法

かし，探索空間が高次元の場合（ニューラルネットの重みの個数が大きい場合），極小点に向かう勾配降下法による重み更新でも，実際上は問題が起こることはない．このディープラーニングの重み更新に関する不思議は**最適化のミステリー**（optimization mystery）と呼ばれている．これは，第4講で説明した一般化のミステリーとともに，ディープラーニングの2大ミステリーである．

6.5 ニューラルネットにかかわるさまざまな技法

これまでは，畳み込みニューラルネットの働きの基本に焦点を合わせたため，省略したことも多い．この節では，ニューラルネットの性能を上げるためのさまざまなテクニックについて説明する．

はじめは，実際の学習アルゴリズムでは $\sigma(z)$ に代わ

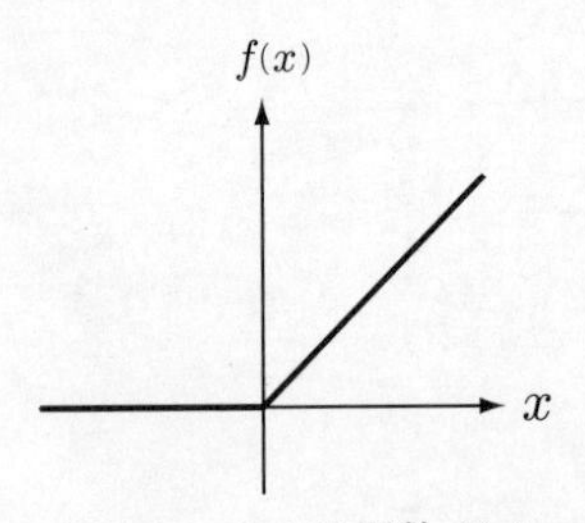

図6.15　ReLU 関数 $f(x)$

り，広く使われている ReLU（レル）関数と呼ばれる関数についてである．ReLU 関数は

$$f(x)=\begin{cases} x & x \geqq 0 \text{のとき} \\ 0 & x<0 \text{のとき} \end{cases}$$

と定義される関数 $f(x)$ である．これを図 6.15 に示す．この関数は，$f(x)=\max\{0, x\}$ と定義してもよい．ところで，勾配降下法に関する問題に**勾配消失問題**と呼ばれるものがある．これは，x が原点 $x=0$ から大きく離れると，$\sigma(x)$ の値が 0 や 1 に漸近して，x の値が変化しても $\sigma(x)$ の値の変化が小さくなるため，勾配降下法による重み更新が進まなくなってしまうという問題である．この問題点を避けるため，$\sigma(x)$ の代わりに ReLU 関数が用いられるようになった．

次に，畳み込みニューラルネットでよく用いられる過学習を避けるための 2 つのテクニックについて簡単に説明する．はじめは，**データ拡張**（data augmentation）についてである．これは，もともとのデータに簡単な修正を加えて，トレーニングデータを水増しするという技術である．これにより，学習で使えるデータが増えるので，学習が進む．もちろん修正した画像のラベルを元の画像のラベルとすればよい．修正の方法としては，元の画像を左右反転したり，左右や上下に平行移動したり，回転を加えたりする．画像修正の種類などはパラメータで設定できるようになっていて，修正の度合はランダムに選ばれる．修正のための計算の量が小さいので，とても実用的な技術である．簡単に言えば，元の画像に，類似した画像を混ぜたものでトレーニングするものである．これによって，トレーニングデータに限定して，目標の $f(v)$ を出力することを追求し過ぎると，テストデータ上で正しい出力が得られにくくなるという過学習を回避できるようになるのだ．

過学習を避けるための 2 つ目のテクニックは**ドロップアウト**である．これは，5.4 節で述べたように，ランダムにある割合で選んだニューロンを働かなくするという技術である．具体的には，ドロップアウトするニューロンの出力を 0 に固定する．これは，ニューラルネットの計算能力を落とすことにより，学習能力も落とし，その結果として，過学習を回避するものである．AlexNet はこれら 2 つのテクニックを使って過学習を回避し，これらのテクニックが過学習を回避するのに有効であることを，世に知らしめた．

最後に**スキップコネクション**（skip connection）を取り

あげる．これは，ニューラルネットの１つの層の出力を何層か飛ばして直接上位の層に入力するというテクニックである．迂回路を設けると言ってもいい．この迂回路により，特徴抽出とプーリングの影響を受けて消失してしまう情報が直接上位の層に送り込まれるというメリットがある．人間の組織の比喩を使って言えば，上司の何人かを飛ばして社長に直訴するとも言える．このスキップコネクションはトランスフォーマーでも使われている．

第7講
アルファ碁

7.1 アルファ碁のその後の展開

第1講で述べたように，アルファ碁を開発したディープマインドは，強いゲームプログラムをつくることを最終目標としているわけではなかった．ディープマインドのハサビスは2017年5月には人間との対戦に終止符を打つことを明らかにした．次にディープマインドが目指したのは，学習プログラムの技術力の強化と進化であった．そこで，アルファ碁以降のディープマインドの事業展開を通して，アルファ碁の開発で培った学習プログラムがもつ能力がどれほどのものであるかを見てみることにする．

ディープマインドは囲碁プログラムの開発から手を引いた後，生命科学者を採用して新しいプロジェクトを開始した．そして，2020年にタンパク質の立体構造を予測する「アルファフォールド2」を発表し（前のバージョン「アルファフォールド1」は2018年に発表），生物学者を驚愕させた．タンパク質とは，アミノ酸の鎖（アミノ酸配列）である．このアミノ酸配列は立体的に折り畳まれて3次元立体構造を呈し，タンパク質の機能がこの立体構造で決まるようになっている．しかし，アミノ酸配列からその立体構造を明らかにすることは，50年にも及ぶ生物学の難問であった．この立体構造を明らかにすることは，コストと時間（一つのタンパク質の構造を決めるのに，数千万円と数年）がかかるため，タンパク質の種類の総数約2億の中で，実験で明らかにすることができたのは20万程度にとどまっている．ディープマインドは，実験的に明らかにされていた立体構造をトレーニングデータとして用い，ニューラルネットワークで学習することにより，アミノ酸配列からその立体構造を高い精度で予測することに成功した．これが，「アルファフォールド2」である．

さらに，ディープマインドの挑戦はこれにとどまるものではない．2023年に新しく設立されたグーグルディープマインドは，オープンAIのChatGPTに対抗するモデルGemini（ジェミニ）を2023年の秋には公開するとアナウンスした．Geminiは，大規模言語モデル（第9講で説明）にアルファ碁で開発した決定木や強化学習の手法を適用してつくると説明している．このように，アルファ碁の開発は単にゲームプログラムをつくることを目指したものではなく，次の展開を見据えた最初の1ステップに過ぎなかったことがわかる．次に，アルファ碁のプログラムの基盤となるゲーム木について説明する．

7.2　ゲーム木

アルファ碁のプログラムの動きの基本は，2人のプレーヤーの対局をコンピュータ上でシミュレーションするこ

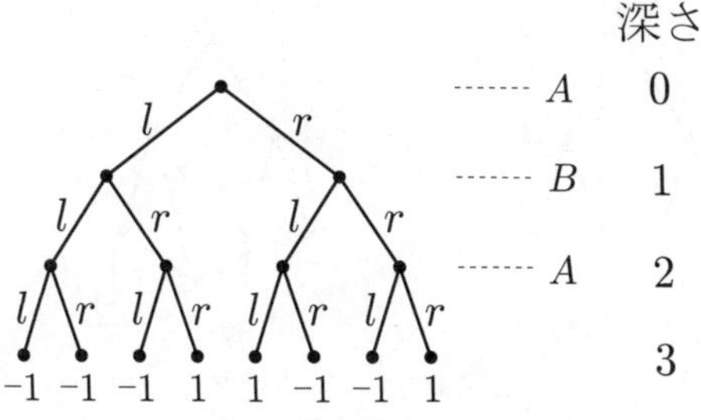

図7.1 3手で勝敗が決まるゲーム木の例

とである．このシミュレーションは**ゲーム木**（game tree）と呼ばれるグラフとして表される．図7.1に，3手で勝敗が決まる簡単なゲームのゲーム木を表す．2人のプレーヤーをAとBで表し，プレーヤーが打つ手はrとlの2種類である．この図は，Aが先手としている．プレーヤーがA, B, Aと交互に打って勝敗が決まるまでのプロセスが描かれている．この図の1や-1は，先手のAから見て，勝った(1)のか，負けた(-1)のかを表している．このゲーム木の上下を逆転すると，根から空に向かって葉を広げている木のように見えるため，このようなグラフは**ゲーム木**（tree）と呼ばれる．また，木の一番上の点を**ルート**（root，根）と呼び，一番下の点を**リーフ**（leaf，葉）と呼ぶ．

3手でゲームは終わるとしているので，ルートからリーフまでの**パス**（path）の長さはすべて3となっている．

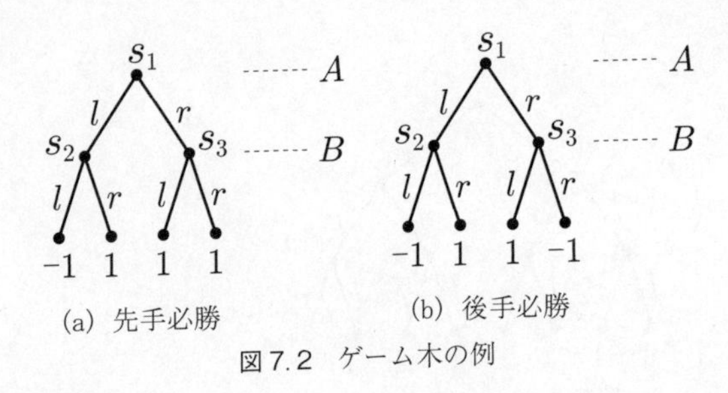

(a) 先手必勝　(b) 後手必勝

図7.2 ゲーム木の例

ゲーム木の点はゲームの局面を表している．各局面でプレーヤーは l か r の2通りの手のうちの1つを選ぶと，その手に対応する枝を経て次の局面に移る．ルートの点を深さ0とし，枝を通るたびに点の深さは1だけ増す．図7.1に示すように先手のプレーヤー A と後手のプレーヤー B が交代で手を選んでゲームが進行する．

図7.1で表されるゲームは先手必勝である．プレーヤー A が最初 r の手をとれば，B が l をとっても r をとっても A は勝つ手を打てるからである．一方，プレーヤー A が最初 l の手をとれば，B が l の手をとった場合，A は負ける．ただ，B が r の手をとれば，A が勝利する．もう一つの例として，図7.2には，2手で勝敗が決まるゲームについて，(a) に先手必勝の例を示し，(b) に後手必勝の例を示している．

これまでに取りあげたのは，極端に簡単なゲームの例である．囲碁はとても複雑なゲームであるが，これもゲーム木で表すことができる．囲碁の局面の総数は，19×19 格子面の各交点には黒石，白石，それに石の置かれていない空点の3通りの可能性があるので，$3^{19 \times 19}$ となる（ただし，合法的な局面の総数は約 2.1×10^{170}）．したがって，同じ局面が現れることを禁止するルール（たとえば，同じ局面となる手を打った方を負けとする）にすれば，囲碁というゲームの長さは $3^{19 \times 19}$ 以下となる．さらに，引き分けがないようなルールにしたとする．すると，囲碁は，引き分けのない，ゲームの長さはあらかじめ決まっているゲームとなる．このような囲碁は，先手必勝か，後手必勝かが決まることになる．次の命題が成立することが証明されるからである（注7）．

命題　ゲームの長さがあらかじめ決まっている，引き分けのないゲームは，先手必勝か，後手必勝かのどちらかとなる．

囲碁はこの命題の条件を満たすようにすることができる．すると，囲碁は先手必勝か，あるいは後手必勝のどちらかのゲームということになる．長い歴史のある囲碁が，その必勝手を記憶しさえすれば，必勝の手番のプレーヤーが必ず勝てるゲームであるというのは，少し意外な感じもする．必勝の手番のプレーヤーでも，現実的には必ずしも勝てるとは限らないのは，単に碁の場合，そのゲーム木の大きさが巨大すぎて，ゲーム木を広げて必勝手を次々とたどることができないからである．このことについては，次の 7.3 節で説明する.

7.3　囲碁の複雑さとモンテカルロ法

まず，囲碁のゲームとしての複雑さの話から入り，その超絶した複雑さを感覚的にもつかんでおこう．というのは，アルファ碁では，囲碁のゲームが複雑であるため，コンピュータでシミュレーションをしたとしても，完全な先読みは現実的にはできないということが前提となっているからである.

ところで，ゲームの複雑さをゲーム木に換算して評価する方法がある．**ゲーム木複雑さ**（game tree complexity）と呼ばれるものである．この評価尺度によると，囲碁の複雑さは 250^{150} とされている（注 8)．つまり，一手の種類は 250 通りあり，終局までの手数が 150 という評価である．これは，囲碁のゲーム木がこのように表されるというのではなく，あくまでも“複雑さ”をゲーム木のパスの本数（すなわち，リーフの個数）として評価するというものである.

この数を 10 の指数という形で表すために，$\log_{10} 250 \approx 2.39$ を使うと，

$$\begin{aligned} 250^{150} &\approx 10^{2.39\times 150} \\ &= 10^{359.69} \\ &\approx 10^{360} \end{aligned}$$

と見積もることができる.

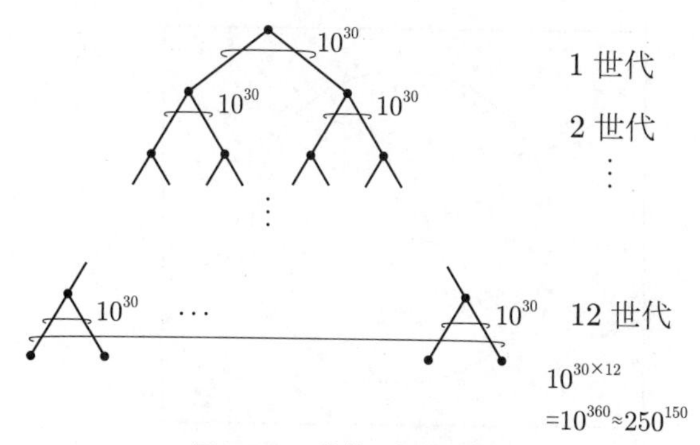

図 7.3 12 世代にわたる粉砕

10^{360} という数がどれほど巨大な数であるかを実感するため，地球を粉々にして砂粒としたときのその個数と比較してみる．体積 1.083×10^{12} km^3 の地球を粉々にして砂粒に砕くと，10^{30} 個の砂粒となる．ここで，砂粒の体積は 1 mm^3 としている．図 7.3 に示すように，これを第 1 世代として，次々と粉砕を繰り返す．ただし，第 2 世代では，1 回目の粉砕でできた砂粒を，また，地球のサイズに戻して（生まれ返らせて），同じように粉砕を繰り返す．すると，図 7.3 に示すように，12 世代にわたって粉砕を繰り返してようやく 10^{360} という数となる．このように，ゲーム木複雑さ 250^{150} は想像を絶する大きさである．図 7.1 や図 7.2 のゲームで分析したように，囲碁のゲーム木全体をたどり，必勝手をたどることは，理論上はできるにしても，実際にはできない．しかし，巧妙に組み立てられ

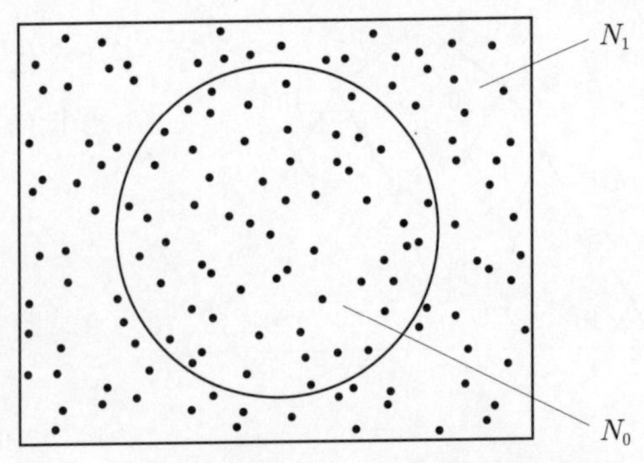

図7.4　モンテカルロ法による円の面積の計算

たプログラムで，十分に時間をかけて，コンピュータの計算リソースを潤沢に使ってトレーニングすると，超絶した強さを持った囲碁プログラムにすることができる．このようにして誕生したのが，アルファ碁である．

正確に計算するのは現実的には無理な状況で，おおよその解を計算する一般的な方法がある．**モンテカルロ法**（Monte Carlo method）と呼ばれるものである．アルファ碁の最初のバージョンでは，このモンテカルロ法に基づいた手法を用いていた．**ロールアウト**（rollout）と呼ばれる計算手法である．

円の面積の計算という簡単な例で，モンテカルロ法を説明する．円の面積の公式 πr^2 を使わないで，円の面積を求める方法を説明する．図7.4のように，円を描いた用紙の上に，ランダムに点を多数プロットして，円の内側の

点の総数を N_0 とし，外側の総数を N_1 とする．すると，円の面積は

$$S \cdot \frac{N_0}{N_0 + N_1}$$

と見積もることができる．ここで，S は用紙の面積で，これは用紙の縦と横の長さから求められるとする．プロットする点はランダムなので，円の面積は点の個数に比例するとして見積もっている．これで円の面積が求まるということは，直観的にはわかる．モンテカルロ法とは，正攻法では計算できない量を，このように**ランダムサンプリング**を利用して計算する方法である．ランダムサンプリングとは，この場合について言えば，用紙の上に点が均一に散らばるようにすることである．

次にロールアウトの説明に進む．図 7.5 に示すように，対局が進み局面 s まできたとする．この図は，次の一手の候補として a_1 と a_2 があったとするとき，そのどちらにするかを決める計算を説明したものだ．この図の下に伸びる波線はランダムな着手を繰り返して決まるリーフに至るパスを表している．終局に至るまでの一手一手を乱数で決めている．このようなパスを多数生成し，終局で勝ちとなるパスをカウントし，勝利の確率を計算する．この計算を盤面 s_1 と s_2 について行い，勝利の確率の高いほうの手を選択するというのが，ロールアウトのあらましである．図 7.5 の場合は，勝利の確率の高い手 a_1 を選ぶ．ロールアウトの 1 本のパスを，図 7.4 のランダムに選んだ一点

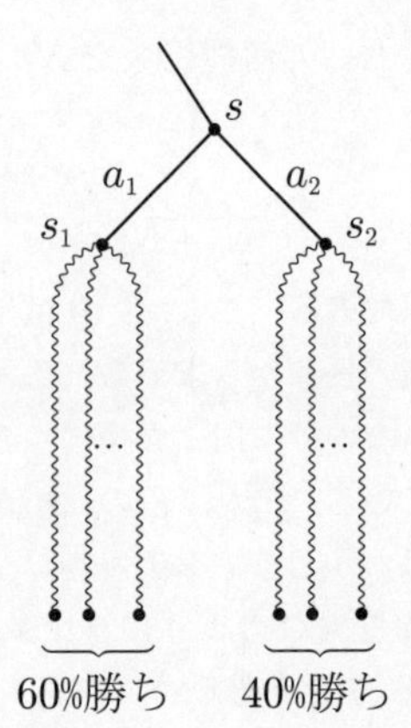

図7.5 ロールアウトによる勝算の評価

に対応させると，ロールアウトはモンテカルロ法をゲームの次の一手の選択に適用したものと解釈することができる.

7.4 AlphaGo, AlphaGo Zero, AlphaZero

2016年に世界チャンピオン李世乭に勝利して以来，ディープマインドは次々と後継プログラムを開発した．世界チャンピオン李世乭に勝利したプログラムAlphaGoに続く，AlphaGo ZeroやAlphaZeroなどである．AlphaZeroは，AlphaGo Zeroをチェスや将棋にも拡張したものである（注8).

この講では，AlphaGoより格段に強く，しかも，構成が簡潔になったAlphaGo Zeroに焦点を合わせて説明し，AlphaGoとの違いについても最後に触れる（注8）．

画像認識するプログラムは画像データベースImageNetを用いてトレーニングし，対話型AIはインターネット上の膨大なデータを用いてトレーニングする．これに対して，AlphaGo Zeroは囲碁の自己対戦を繰り返し，その対戦データを用いてトレーニングする．あらかじめプログラムに組み込まれるのは，囲碁のルールだけである．このように，AlphaGo Zeroは，いわば全く白紙の状態からスタートして，長年にわたって培われてきた定石をも覆すほどの知能を獲得している．なお，この本では，アルファ碁という名称はこれらのプログラムのファミリーネームとして用いている．

7.5 AlphaGo Zero の動きのあらまし

この講では，3つのブレイクスルーの2つ目，アルファ碁について取り上げる．具体的には，AlphaGo Zeroの動きを詳しく説明する．

AlphaGo Zeroは囲碁のゲームをシミュレーションしながら，自身の棋力を向上させる．シミュレーションでは，囲碁のゲーム木全体のほんの一部しか見ないにもかかわらず，AlphaGo Zeroはプロの棋士をはるかに超えるレベルのものとなる．こんなことがなぜ起こるのかを解き明かすことが，この講の目標である．

この講の用語や記法は，AlphaGo Zeroの論文に従う

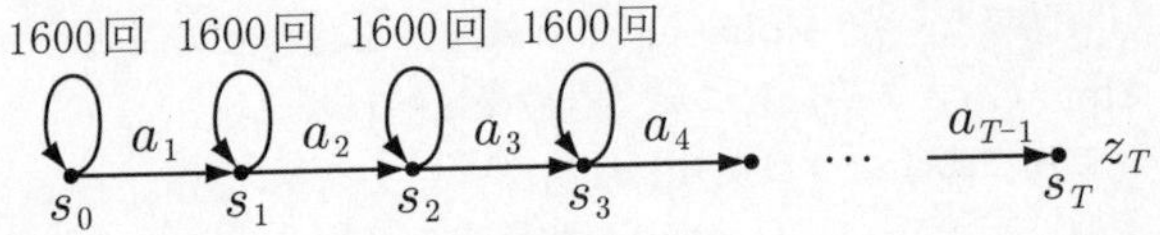

図7.6　自己対戦の一局

ものとする．盤面 s と指し手 a をそれぞれ**状態**と**アクション**と呼ぶ．また，アクションが m 通りあるとき，確率分布

$$\begin{pmatrix} a_1 & \cdots & a_m \\ p_1 & & p_m \end{pmatrix}$$

を**ポリシー**（policy）と呼ぶ．ここで，$p_1, p_2, \ldots$ は非負の数値で，それぞれ $a_1, a_2, \ldots$ が選ばれる確率を表す数値である．ここで，$p_1 + \ldots + p_m = 1$，$p_1 \geqq 0, \ldots, p_m \geqq 0$ である．また，状態 s の**勝算評価**とは，盤面 s から開始したとき対局で勝利する確率を評価したもので，$-1 \leqq v \leqq 1$ となる数値 v である．$v = 1$ は，盤面 s で手番のプレーヤーが勝つことを意味し，$v = -1$ は，負けることを意味する．

AlphaGo Zero で，囲碁をシミュレーションするのは**モンテカルロ木探索** MCTS（Monte Carlo Tree Search）と呼ばれるものである．その動作の詳細は次の節に回すとして．図7.6にその様子を表す．この図は，状態 s_0 からスタートして，最後の s_T までの状態の遷移を表したものである．ここで，s_0 はなにも石が置かれていない盤面で，s_T は終局の盤面である．

各状態 s_t で，1600回のセルフループ（図7.5の各状態から出て自分自身に戻るループ）を回る．この1600回で，状態s_tのアクションa_tを決める．アクションを決めるこの1600回の動作を**トライアル**と呼び，s_0からs_Tまでの遷移をシミュレーションと呼んで，両者を区別することにする．AlphaGo Zeroのトライアルは，図7.5のロールアウトに対応してはいるが，トライアルはロールアウトではない．トライアルでは，次のアクションを単にランダムに選んでいる訳ではなく，計算によりアクションを決めたり，アクションを選択する確率分布（ポリシー）を計算しているからである．簡単に言えば，トライアルは先読みで手を打たず，シミュレーションで手を打つ．シミュレーションもトライアルも，ゲーム木の上で実行される．状態s_tのトライアルでは，次の節で説明する手順に基づいてゲーム木の状態s_tからパスをたどることを繰り返す．この場合，状態s_tをルートとする木を考え，その木の中でこれまでのトライアルでたどられた領域とたどられていない領域に分ける．そして，たどられた領域を**既読領域**と呼び，たどられていない領域を**未読領域**と呼ぶ．メッセージの既読と未読とのアナロジーで付けた呼び名である．トライアルの先読みとは，既読領域のルートからリーフまでのパスをたどることに相当する．

このとき，ルートからリーフまでのパスをたどるごとに，そのパスを一枝分伸ばす．伸ばすと同時にそのパスの先端の状態を既読領域に取り込む．このようにして，1600回のトライアルで毎回パスを伸ばせば，1600個の点が既読領域に取り込まれるが，既読領域のリーフがゲーム木全体でもリーフとなっている場合はパスを伸ばせず，新しい点を取り込めない．そのため，追加される点の個数は，一般に，1600以下となる．

このようにして，s_t で1600回のトライアルを実行し，その先読みに基づいてアクション a_t を決め，次の状態 s_{t+1} に遷移する．この状態 s_{t+1} では，状態 s_t の既読領域を引き継いで，1600回のトライアルに入る．

ところで，シミュレーションをいくら繰り返しても強くはならない．そこで，ニューラルネットワーク f_θ を導入し，これをMCTSに組み込む．MCTSはシミュレーションを通して f_θ に頻繁に問い合わせをして，自身の棋力を向上させる．MCTSは次の（1）と（2）を問い合わせる．

（1） 状態 s でとるべき，次のアクション（一手）．
ただし，ポリシーの形で出力してもらう．

（2） 状態 s の勝算評価．ただし，数値として評価してもらう．

ニューラルネットワーク f_θ をシミュレーションデータを使ってトレーニングすることにより，上の(1)と(2)の精度を上げていく．ここが，AlphaGo Zeroの動きのポイントとなる．図7.7は，図7.6の一局のデータからつくった T 個のトレーニングデータである．このようにトレーニングすることにより，ニューラルネットワーク f_θ は先の（1）と（2）に示すような任意の状態 s に

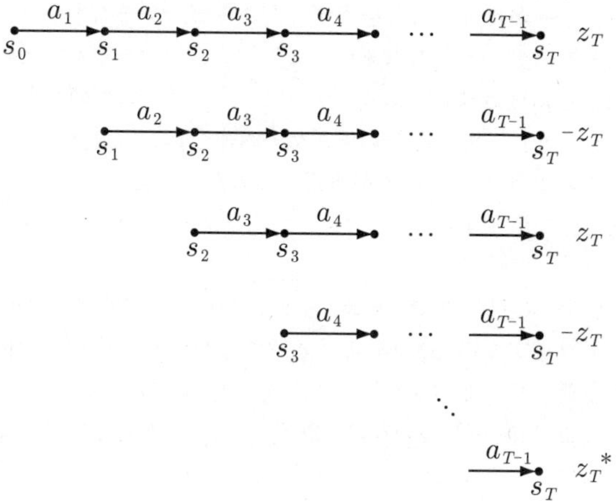

図 7.7　一局からつくるトレーニングデータ

関する問い合わせに答えてくれるようになる．この勝敗の表し方については，少し注意する必要がある．図 7.7 の $s_0, s_1, s_2, s_3, \ldots$ から始まる系列の勝敗が，それぞれ $z_T, -z_T, z_T, -z_T, \ldots$ となっている．ここで，$z_T \in \{1, -1\}$ が $z_T = 1$ のときは，勝ちを表し，$z_T = -1$ のときは，負けを表す．

同じ一局のデータからつくられたものなのに，勝敗が変わるのは，各状態で手番のプレーヤーから見たときの勝敗を表しているからである．

たとえば，s_0 から始める一局で，$z_T = 1$ は s_0 で手番のプレーヤーが勝つことを表し，$z_T = -1$ は s_1 で手番のプレーヤーが負けることを表す．ところで，ゲーム木が巨大であるので，ゲーム木をシミュレーションでたどることのできる領域は非常に限定されるため*，ゲーム木のたどり方を巧妙にして，既読領域がゲーム木全体を万遍なくカバーするようにする必要がある．このたどり方については，次の節で説明する．

7.6　パス選択，展開と更新，そしてバックアップのサイクル

トライアルの1600回のサイクルとは，パス選択，展開と更新，そしてバックアップのサイクルであり，このサイクルはAlphaGo Zeroのエンジンとして働く．この節ではこのサイクルについて説明する．

図7.8には，ゲーム木とそのルートからのパスを模式的に描いている．シミュレーションに現れる各状態s_tでは，ゲーム木のルートs_tから始まり，既読領域のリーフに至るパスを1600回たどることになる．したがって，各状態の下に置かれたゲーム木は1600枚必要となるが，これを6枚にして簡単に表している．また，本来の状態は19×19の盤面であるが，これを3×3に縮小して描いている．

この図のシミュレーションのために，各状態s_tでは1600回のサイクルでアクションa_tを決める．以下，このアクションをどう決めるかについて説明する．このアクシ

* シミュレーションを繰り返していっても，既読領域がゲーム木全体に占める割合はわずかなものである．

ョンの決定のために，1600回のトライアルの間に状態 s（各状態 s_t を一般化して，s と表す）で各アクション a の枝を通過した回数をカウントし，その回数を $N(s, a)$ と表す．このカウントのために，$N(s, a)$ をカウンター（回数を記憶しておくもの）とみなし，0と初期設定する．そして，これを状態 s から出る各アクション a の枝に設置しておいて，ルートからリーフまでのパスを1600回たどる間，各アクションの枝を通るたびに，カウンターを1プラスすればいい．状態 s からアクション $\{a_1, \ldots, a_m\}$ に対応する m 本の枝が出ているとすると，カウンターの回数に基づいて，状態 s のポリシー $\begin{pmatrix} a_1 & \ldots & a_m \\ p_1 & & p_m \end{pmatrix}$ を

$$p_i = \frac{N(s, a_i)}{N(s, a_1) + \ldots + N(s, a_m)} \qquad (1)$$

と定義する．ここで，$1 \leqq i \leqq m$ である．これは，トライアルで頻繁に選択されたアクションに高い確率が割り当てられているポリシーとなる．状態 s_t に対して，このポリシーを π_t と表す．このように決められたポリシーに従って，図7.8の状態遷移 $s_0 \xrightarrow{a_1} s_1 \xrightarrow{a_2} \cdots \xrightarrow{a_T} s_T$ が決まる．

ところが，囲碁のゲーム木をルートからのパスをたどるシミュレーションでは，パスの総数 250^{150} が巨大であるため，ゲーム木全体のわずかな部分しかたどることはできない．そこで，既読領域がゲーム木全体を万遍なくカバーするようにしながら，しかも勝率も正しく評価するという両にらみで，ゲームをシミュレーションしなければ

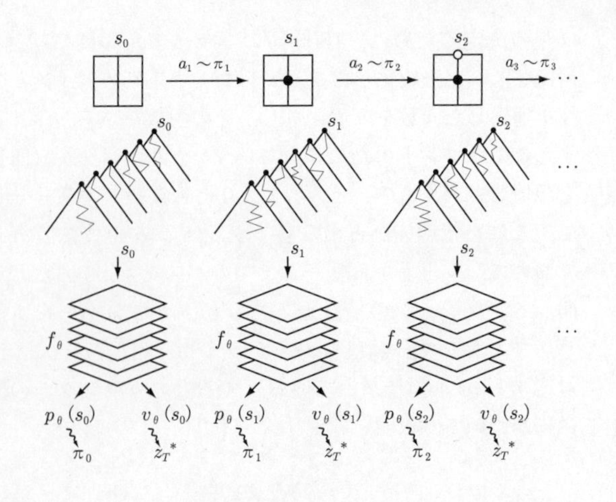

(a) 序盤

図 7.8　AlphaGO Zero の対局の

ならない．このようなむずかしい問題に対処するために，“探索”（exploration）と“活用”（exploitation）のトレードオフ（あちらを立てればこちらが立たず）のバランスをとるという考え方がある．これだけではわかりにくいので，たとえ話で説明する．

昼食は近くの飲食店を利用することにしているサラリーマンを取り上げる．いくつかあるなじみの店から選ぶか，たまには冒険して新しい店を試してみるという人が多いのではないだろうか．この場合，新しい店を試すのが“探索”であり，間違いのないなじみの店を利用するのが“活

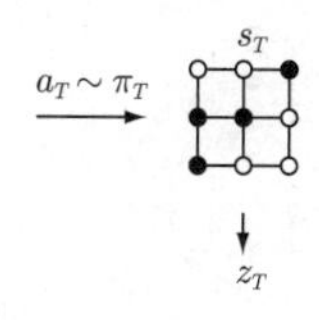

(b) 終盤

シミュレーション

用”である．会社員は“探索”と“活用”のバランスをとって食事処を選んでいるとも言える．AlphaGo Zero もこのバランスをとることにより，次の一手を選択しているが，その具体的な方法は以降の**パスの選択**のところで説明する．このように，ゲーム木の中に大きく抜け落ちる領域が出ないようにして，ゲーム木全体を万遍なくカバーするように，シミュレーションを繰り返している．

次に，1600 回のサイクルの説明に進む．これが，AlphaGo Zero の心臓部である．このサイクルでは，ゲーム木の既読領域でルートからリーフまでのパスを繰り返した

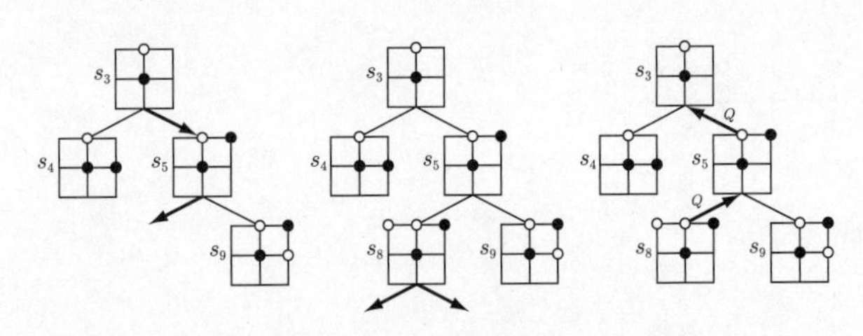

(a) パスの選択　(b) 展開と評価　(c) バックアップ

図7.9 既読領域の遷移

どる．そのために，次の3つの情報を記憶し，これをもとにしてパスをたどる方向を決める．

$Q(s, a)$：状態 s のアクション a に割り当てられる値で，状態 s からアクション a で遷移する先の状態の勝算評価である．

$N(s, a)$：状態 s でアクション a の枝を通った回数．

$P(s, \cdot)$：新しく加えられた状態 s のポリシーとして初期設定されるものである．その時点でのニューラルネットワークの出力 $p_\theta(s)$ が割り当てられる．

ここで，$P(s, \cdot)$ という記法の説明をしておきたい．これは，"·" に具体的なアクション a_i を代入すると，状態 s でアクション a_i をとる確率 p_i が返されるような記号である（$p_i = P(s, a_i)$）．ここで，a_i は $\{a_1, \ldots, a_m\}$ の上を動くので，結局 $P(s, \cdot)$ はポリシー $\begin{pmatrix} a_1 & \ldots & a_m \\ p_1 & & p_m \end{pmatrix}$ を表す．

図7.9は，1600回のトライアルの1回分の具体例を表

したものである．このトライアルは既読領域は $\{s_3, s_4, s_5, s_9\}$ でスタートする．トライアルではルート（この場合は，s_3）からリーフまでのパスをたどる．この場合，状態 s_5 で左のアクションが選択されて，これまで未読領域にあった状態 s_8 が既読領域に加えられる．このように，図 7.9 に示すサイクルで，ルートからリーフまでのパスは一枝分伸ばされ，$s_3 \to s_5 \to s_8$ となる．なお，図 7.8 と図 7.9 は，AlphaGo Zero の論文の図をこの本の説明に合わせて修正したものである（注 9）．

次に，図 7.8 に現れているニューラルネットワーク f_θ の説明に進む．この図では，第 6 講のフィーチャーマップのようなものを 6 枚重ねたもので，ニューラルネットワーク f_θ を表している．この f_θ に上から各時点におけるゲーム木のルートの状態 s_t が入力されると，$p_\theta(s_t)$ と表される s_t のポリシーと，$v_\theta(s_t)$ と表される状態 s_t の勝算評価が出力されるようになっている．これを，

$$f_\theta(s_t) = (p_\theta(s_t), v_\theta(s_t))$$

と表す．ここで，$0 \leqq t \leqq T$ である．ニューラルネットワーク $f_\theta(s_t)$ が出力するポリシー $p_\theta(s_t)$ はより強力なものに，勝算評価 $v_\theta(s_t)$ はより高いものにするのがトレーニングの目標である．この目標達成のための，教師からの情報に相当するものはそれぞれ π_t と z_T^* である．このことを，図 7.8 では，波線の矢印を用いて表している．図 7.8 の一番下に並ぶ勝敗の系列 $z_T^*, z_T^*, z_T^*, z_T^*, \ldots$ は，図 7.7 の状態 $s_0, s_1, s_2, s_3, \ldots$ でそれぞれ手番のプレーヤー

から見た勝敗 $z_T, -z_T, z_T, -z_T, \ldots$ を表している．トレーニングでは，$p_\theta(s_t)$ と π_t との違い，および，$v_\theta(s_t)$ と z_T^* との違いから誤差関数を定義し，誤差関数を減少させるように，重み更新する．ここで，π_t は，各枝の通過回数 $N(s_t, a_t)$ から(1)により計算されるものである．このトレーニングについては，次の 7.7 節で説明する．

ニューラルネットワーク $f_\theta(s_t)$ に各状態のポリシーを計算させるというのは全く新しい発想である．なぜ計算させるのかというと，図 7.9 の場合で言えば，新しく既読領域に取り込んだ状態 s_8 のポリシーを決めるために必要だからである．このように，状態 s_8 のように既読領域に加えられたばかりの状態についてはポリシーに関する情報が何もないので，ニューラルネットワーク $f_\theta(s_t)$ の出力の $p_\theta(s_t)$ に初期設定する．

次に，図 7.9 の (a), (b), (c) の 3 つのフェーズの動作について説明する．

パスの選択　シミュレーションでパスが状態 s まで伸びてきたとする．状態 s では，次の式を最大にするアクション a が選択される．

$$Q(s,a)+c\cdot P(s,a)\cdot\frac{\sqrt{\sum_b N(s,b)}}{1+N(s,a)}$$

この式で，状態 s におけるアクションを $\{a_1, \ldots, a_m\}$ とするとき，$\sum_b N(s,a) = N(s,a_1) + \ldots + N(s,a_m)$ である．

このアクションの選択は，“活用”と“探索”のトレードオフのバランスをとるものとなっている．先の式の第1項の $Q(s, a)$ は，状態 s からアクション a で移った先の状態の勝算評価なので，“活用”に相当する．一方，第2項は“探索”に相当する．第2項の $\frac{\sqrt{\sum_b N(s, b)}}{1+N(s, a)}$ に注目しよう（分母の1は，0で割ることを避けるためのものである）．この値が大きくなるのは，$\frac{1+N(s, a)}{\sqrt{\sum_b N(s, b)}}$ が小さいときである．$N(s, a)$ は，枝を通過した回数を表すので，この値が小さいということは，状態 s でアクション a をとったことが，他のアクションに比べ，少なかったということである．この場合は，取り残しがないように，アクション a をとってみるというのが，“探索”に相当する．

ところで，このようにして選ばれたアクション a_i は

$$\arg\max\left\{Q(s, a)+c\cdot P(s, a)\cdot\frac{\sqrt{\sum_b N(s, a)}}{1+N(s, a)}\right\}$$

と表される．この分野の論文では，この記法が用いられることが多い．この記号のように a をパラメータとして，$a_1, a_2, \ldots$ と動かして計算される値のセットの中で，最大の値は $\max\{\quad\}$ と表される．さらに，その最大値を達成するパラメータの値（上の説明では，a_i）そのものは，$\arg\max\{\quad\}$ と表される．

図7.9の(a)では，$\arg\max\{\quad\}$ を2回計算し，$s_3 \rightarrow s_5 \rightarrow$ とパスが伸びたが，その先の状態 s_8 はまだ既読領域に入っていない．そこで，次に展開と評価のフェーズで，

この状態 s_8 を既読領域に取り込む.

展開と評価 この展開と評価のフェーズで，既読領域が (a) から (b) に更新される．また，この更新により取り込まれる状態 s_8 を，一般的に，s と表すことにし，このフェーズの $Q(s,a)$ や $P(s,\cdot)$ の更新について説明する．$Q(s,a)$ は，状態 s でアクション a をとって移った先の状態の勝算評価である．この状態に関しては，まだシミュレーションは行われていないので，とりあえずニューラルネットの出力を当てて更新する．そこで，その時点で，s（この場合，s_8）を入力したときの出力を $f_\theta=(p_\theta(s),v_\theta(s))$ とし，この $v_\theta(s)$ を状態 s の勝算評価として，

$$V(s)=v_\theta(s)$$

とおく．さらに，次のように更新する．

$$Q(s,a) \leftarrow \frac{N(s,a)Q(s,a)+V(s)}{N(s,a)+1}$$

$$P(s,\cdot) \leftarrow p_\theta(s)$$

ここで，この状態 s が最終局の盤面であれば，勝ち負けが決まるので，ルートの状態で手番のプレーヤーが勝つときは，$V(s)=1$ とし，負けるときは，$V(s)=-1$ とする．

この更新の代入文のうち，初めの代入文の左辺の $Q(s,a)$ は，更新前の勝算評価の平均値である．代入文の右辺は，更新前の勝算評価の総和（$=N(s,a)Q(s,a)$）に新しい $V(\mathrm{s})$ を加えた勝算評価の総和を，状態 s のアクション a の枝を通過した総回数 $N(s,a)+1$ で割った値である．ま

た，次の代入文の左辺の $P(s,\cdot)$ は，ポリシー $p_\theta(s)$ を代入する変数である．図 7.9 の (b) の状態 s_8 から出る 2 本の太線のアクションの確率がこのポリシーで設定される．

さらに，ルートの状態から出発して追加される状態に至るパス上の枝の通過回数のカウント $N(s,a)$ を，代入文で 1 だけ増やす．

$$N(s,a) \leftarrow N(s,a)+1$$

また，新しく加えられる状態 s とすべてのアクション a に対して，$Q(s,a)$ と $N(s,a)$ を 0 に初期化する．すなわち，すべての a に対して，

$$Q(s,a) \leftarrow 0,$$
$$N(s,a) \leftarrow 0$$

とする．具体例では，これらの初期化は，(b) の太線の枝に対して適用される．

バックアップ バックアップのフェーズでは，新しく追加された状態からルートの状態までのパスをさかのぼりながら，前のフェーズで計算された $Q(s,a)$ や $N(s,a)$ が割り当てられている枝の値を更新する．図 7.9 の (c) では，更新される枝を太線で表している．

7.7 モンテカルロ木探索 MCTS のトレーニング

MCTS は，ニューラルネットワーク f_θ の重みをランダムに初期設定したうえで，自己対局する．この際，各対局を終えるたびに，f_θ の重み更新をした上で，次の自己対

局に入るということを繰り返す．この自己対局では，毎回まず，前回の対局データに基づいて，f_θ の重みを更新する．そのとき，トレーニングに使うのは，図7.7に示す T 個の状態遷移に対応するデータである．状態 s_t から始める系列の場合は，(s_t, π_t, z_T^*) がトレーニングデータとなる．ここで，z_T^* は状態 s_t で手番のプレーヤーから見た勝敗 $z_T^* \in \{1, -1\}$ である．また，π_t は

$$p_t = \frac{N(s, a_i)}{N(s, a_1) + \ldots + N(s, a_m)}$$

で定義されるポリシー $\pi_t = \begin{pmatrix} a_1 & \ldots & a_m \\ p_1 & & p_m \end{pmatrix}$ である．

トレーニングでは，ニューラルネットの出力 $f_\theta(s_t) = (p_\theta(s_t), v_\theta(s_t))$ と (π_t, z_T^*) の間の誤差を減少するように，勾配降下法で重み更新する．誤差関数は次のように定義する．

$$\sum_t \{(v_\theta(s_t) - z_T^*)^2 + \pi_t \cdot \log \frac{1}{p_\theta(s_t)}\}$$

この誤差関数の2項目は確率分布同士の分布の違いを定義する**クロスエントロピー**（cross entropy）と呼ばれるものであるが，詳しいことは省略する（注10）．

第8講
トランスフォーマー，生成AIの心臓部

8.1　アテンションとは

この講では，3つ目のブレイクスルーである，トランスフォーマーについて説明する．トランスフォーマーの計算の仕組みは，ChatGPTを動かしているエンジン部分にも組み込まれており，これまでのAI研究の中で最もインパクトのある成果でもある．なお，GPTとはGenerative Pretrained Transformer（生成が可能な，事前学習したトランスフォーマー）の頭文字である．最近の人工知能研究は，トランスフォーマーを中心に回っているといっても言い過ぎではない．トランスフォーマーは，2017年の論文“Attention is All You Need”（アテンションこそが必要)”で導入された計算の方式である．この論文は，バズワニ（Ashish Vaswani）らグーグルのチームによって発表された（注11）もので，トランスフォーマーを使って機械翻訳を実現し，従来の機械翻訳の方式を一変させた革新的なものである．しかも，トランスフォーマーは，機械翻訳にとどまらず，これまでディープラーニングにより実現していたさまざまな画像処理も担い始めた．

トランスフォーマーは，機械翻訳する計算の仕組みである．その翻訳の計算の中で，各単語の文脈に注目（アテンション）して文脈情報を注入する．まず，アテンションとは何かをつかんでおこう．

図 8.1 を見てもらいたい．中央の記号は，横並びに注目すると B に見え，縦並びに注目すると 13 に見える．このように，同じ記号でも周りからの影響を受けて見え方が違ってくる．トランスフォーマーの核心にある考え方は，横並びの中にあるときは，中央の記号に A や C の情報の一部を注入し，縦並びにあるときは 12 と 14 の情報の一部を注入して，注入後は中央の記号を見るだけで，B か 13 かの区別ができるようにするというものである．A や C の情報を中央の記号に注入するのは，情報を中央に集め，そこを見るだけで，B と判断できるようにするためである．これは情報を“煮詰める”操作である．A と C に分散していた情報を中央に集めたからである．

このように，周辺にアテンションして情報を注入するので，この操作はアテンションと呼ばれる．ところで，A, B, C の記号や 12, 13, 14 の数字は，トランスフォーマーでは単語に置き換えられる．したがって，実際には単語間で情報の注入が行われる．単語は固有の意味を持つものである．そのような単語の間で一部の情報を注入するということが，実際にできるのであろうか．このことを探るためには，そもそもその単語をどのように表現するのかということを決めておかなければならない．それでは，次節の

図 8.1 B と 13 の見え方

単語の表現“ワードエンベーディング”に進もう．

8.2 ワードエンベーディング

トランスフォーマーは機械翻訳を実行する．翻訳するにはどうしても意味というものを考えなければならない．そこで，トランスフォーマーは意味をどうとらえているかを探ることにする．

言葉の意味はもともと，だれかが言葉を口にしたとき，あるいは読んでいる本でその言葉を目にしたとき，自然に頭に浮かんでくるイメージのようなものである．意味を扱っている身近なものに辞書があるが，辞書では単語の意味を他の単語を使って表す．その場合の他の単語の意味も，他の単語を使って表すということが繰り返されることになるが，最後はどうなるのか．たとえば，広辞苑では，“右”を「南を向いたとき，西にあたる方」と説明している．このように，“右”そのものは説明できないので，東西南北の方位を用いて何とか説明している．そもそも，“右”は“左”があってのものでもある．

意味をどうとらえるかは，さまざまな分野で取り上げられる根源的なテーマである．言語学では意味領域という概念でとらえ，数理論理学では命題の真偽としてとらえ，プログラム意味論ではプログラムのコードが引き起こすコンピュータ上の動きととらえる．意味そのものを正しく理解することは一筋縄ではいかないテーマである．

トランスフォーマーでは，意味そのものを定義することを回避して，意味とは単語と単語の間の近い遠いの関係そのものであるという，割り切った立場をとっている．この立場に立って，単語を一定の長さの数値の系列として表したもの，それが**ワードエンベーディング**（word embedding）である．たとえば，トランスフォーマーの論文では，系列の長さは512としている．ワードエンベーディングは，後で説明する手順によって機械的に求められるものであるが，これが単語の意味をも表していることがわかるようになった．それがどういうものである

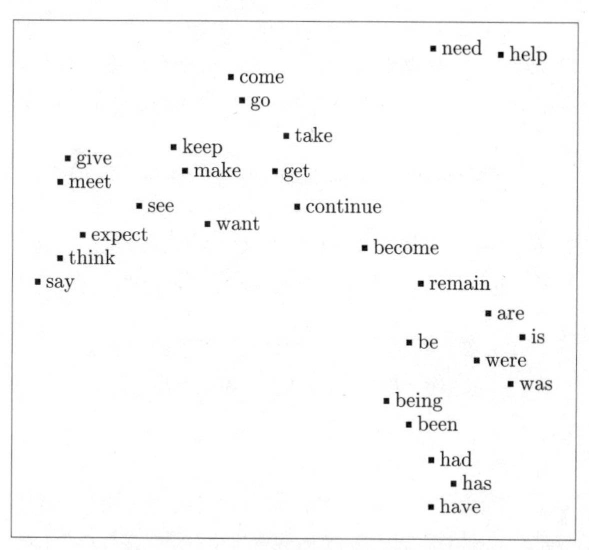

図8.2 ワードエンベーディングの例

かを見ていくことにする．なお，ワードエンベーディングは，1957年にジョン・ファース（John Firth）が発表した「単語の意味は，その文脈により規定される」という考え方に基づいている（注12）．

図8.2は，ワードエンベーディングの空間配置が意味を反映していることを示す例である．この図は，ワードエンベーディングを適当に2次元平面に投影したものである．意味が近いもの同士が近くに置かれていることがわかる．

さらに詳しく見ていくと，ワードエンベーディングの間には驚くべき関係が成立していることがわかる．単語 w に対応するワードエンベーディングを $V(w)$ と表すことにしよう．すると，

$$V(\mathrm{queen}) \approx V(\mathrm{king}) - V(\mathrm{man}) + V(\mathrm{woman})$$

が成立するのだ．ここに，$\approx$ は左辺と右辺のベクトルがほぼ等しいことを表す．また，ベクトル $a=(a_1, \ldots, a_n)$ と $b=(b_1, \ldots, b_n)$ の和と差を次のように定義する．

$$a+b = (a_1+b_1, \ldots, a_n+b_n)$$
$$a-b = (a_1-b_1, \ldots, a_n-b_n)$$

このように，ベクトルの和と差は要素ごとの和であり，差である．

ワードエンベーディングはコーパスから抜き出した単語の間の文脈情報に基づいて，機械的な手順で得られたものではあるが，結果的に，ワードエンベーディングの各要素は単語が持つ特性の強さを数値化したものとなっている．ここで，コーパスとは，ある言語で書かれた，コンピュータに蓄えられている文書を大量に集めたもので，その言語がどのように使われているかを分析するためのものである．

このことを，king と queen のワードエンベーディングについて見てみよう．king と queen に共通する特性として，国家，権力，統治，継承などがあるが，これらの特性の要素の値は大きいはずである．これら2つの単語で違

うのは，king は男性で queen は女性であるということである．この違いを $-V(\mathrm{man})+V(\mathrm{woman})$ で補償してやれば，king と queen のワードエンベーディングはほぼ同じとなるというのが，≈ で左辺と右辺を結んだ上の式の解釈である．なお，この式は移項して

$$V(\mathrm{king})-V(\mathrm{queen})\approx V(\mathrm{man})-V(\mathrm{woman})$$

と書き換えることもできる．まとめると，ワードエンベーディングは単語の文脈情報に基づいて決められた手順によって計算されたものであるにもかかわらず，結果的に，ワードエンベーディングの要素の特性を解釈することにより，≈ で結ばれた等式の意味が解釈できることとなった．

このように，ワードエンベーディングは，単語の表現であると同時に，その意味を表すものでもある．トランスフォーマーは，このワードエンベーディングという土台の上に築きあげられる．

次に，ワードエンベーディングをつくる手順をごく簡単に説明する．まず，対象とする言語のコーパスを用意する．このコーパスから単語と単語の間の文脈情報を取り出し，取り出したデータに基づいてワードエンベーディングを決定する．これが全体の流れである．

コーパスから取り出す文脈情報は次のように決める．2つの単語の各ペア (q, r) に対して，q と r のどちらも現れている，コーパス中の文の個数をカウントし，その個数を $C(q, r)$ と表す．この個数 $C(q, r)$ が大きいということは，単語 q と r とは意味的に近い関係にあるということを意

味している．

すべての単語のペア (q, r) に対してカウント $C(q, r)$ が求められたとして，次に，この情報から個々の単語のワードエンベーディングを決める．そのときのワードエンベーディングの決め方のイメージをつかんでもらうために，次のようなプラモデルをつくることにする．プラモデルは，個々の単語を表すボールと，ボールとボールとの間をつなぐピン（棒）からなる．ピンはボールのピン穴に差し込めるようになっていて，ボールとボールをつなげるようになっている．単語 q と r のボールをつなぐピンの長さは $C(q, r)$ が大きいときは短く，小さいときは長くなっている．このように，ピンの長さを決め，すべてのボールの間をピンで結び，プラモデルをつくる．すると，プラモデル全体では，単語の間の意味が近ければ対応するボールは近くに配置され，遠ければ遠くに配置されることとなる．

プラモデルを使った説明ではワードエンベーディングは 3 次元としたが，トランスフォーマーの論文では 512 次元のワードエンベーディングを用いている．これだけの次元数の空間となると，ワードエンベーディングの空間配置はイメージすることさえむずかしくなる．

8.3 数学的な準備

この節では，以降のトランスフォーマーの説明で用いられる，数学的な概念であるドットプロダクト，線形変換，ソフトマックスについて，例を用いて簡単に説明する．この節は飛ばして読み進んでもらってもかまわない．ただ，ドットプロダクトはワードエンベーディング間の近さを表す演算であること，線形変換はベクトルの相互の関係はある程度保存しながら歪んだ別の空間に変換するものであること，ソフトマックスは数値のセットを大小関係を強調したうえで，確率分布となるような別の数値のセットに変換することなどは，押さえておいてもらいたい．

ドットプロダクト

同じ長さのベクトル $v=(v_1, \ldots. v_n)$ と $u=(u_1, \ldots. u_n)$ のドットプロダクト（dot product，内積）は

$$v \cdot u = v_1 u_1 + \ldots + v_n u_n$$

と定義される．このように定義すると，2 つの単語のワードエンベーディングのドットプロダクトは，それらの単語の意味の近さを表すことになる．簡単なベクトルについて，ドットプロダクトの値を具体的に求めてみよう．取り上げるのは，ベクトル $a=(4, 2)$ と $b=(1, 3)$ で，そのドットプロダクトは

$$a \cdot b = 4 \times 1 + 2 \times 3 = 10$$

となる．一方，ベクトル a とそれに直交するベクトル $c=(-1, 2)$ の場合，ドットプロダクト $a \cdot c$ は 0 となる．

$$a \cdot c = (4, 2) \cdot (-1, 2) = 4 \times (-1) + 2 \times 2 = 0$$

となるからである．さらに，ベクトル a と向きが真逆のベクトル $d=(-4, -2)$ の場合は

$$a \cdot d = 4 \times (-4) + 2 \times (-2) = -20$$

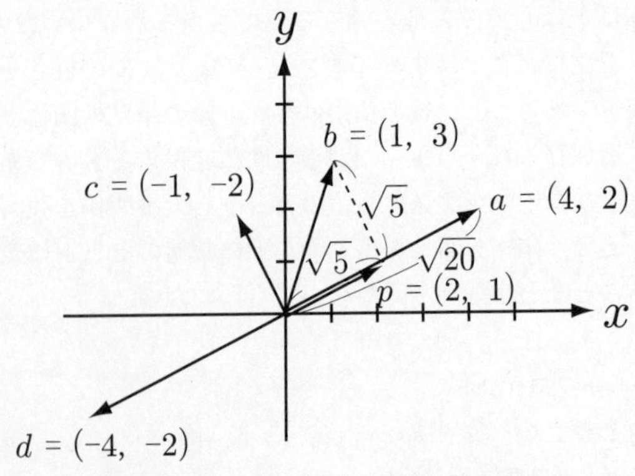

図 8.3　ベクトル相互の関係，例その1

となる．以上，a に対して，b, c, d の3つのベクトルを取りあげ，ベクトル a とのドットプロダクトを計算した．次に，このドットプロダクトは，b, c, d のベクトルのそれぞれベクトル a 方向の成分の大きさとなっていることを示す．

このことを示すために，これらのベクトルをそれぞれ原点から伸びる矢印として2次元平面上に描く．それが図8.3である．ベクトル b のベクトル a 方向の成分を図示するために，ベクトル b の矢印の先からベクトル a に向けて垂線をおろし，その垂線がベクトル a と交わる点に注目する．原点からこの交点まで伸びるベクトルを p と表し（ベクトル p はベクトル b のベクトル a への**正射影ベクトル**と呼ばれる），原点からこの交点までの距離を l と表

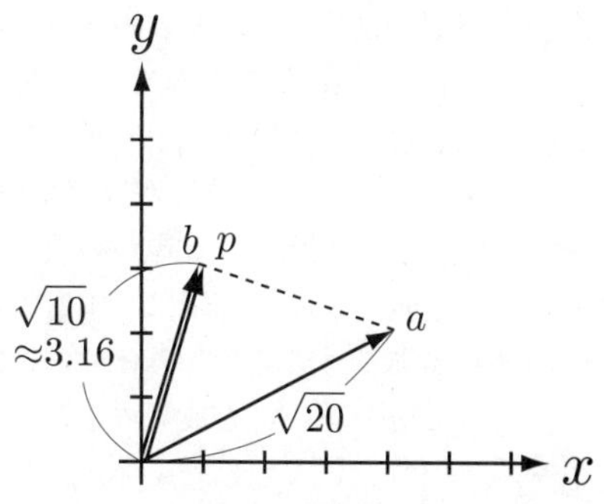

図 8.4 ベクトルの相互関係，例その 2

す．このとき，ベクトル a の長さを $|a|$ と表すと，

$$a\cdot b = l\times|a|$$

が成立する．この式の l は，ベクトル b のベクトル a 方向の成分の大きさ（ベクトル p の長さ）と解釈されるものである．したがって，この式は，ベクトル a の長さ $|a|$ で補正すれば，ドットプロダクト $a\cdot b$ は，ベクトル b のベクトル a 方向の成分の大きさを表すと読むこともできる．確かに，この場合，$l=\sqrt{5}$，$|a|=\sqrt{20}$ であるので，

$$l\times|a| = \sqrt{5}\times\sqrt{4\times5} = 2\times5 = 10$$

となり，$a\cdot b=l\times|a|$ が成立する．

ところで，図 8.4 は図 8.3 の a と b の役割を交換して作図したものである．ベクトル a の先からベクトル b に向けて垂線をおろして，ベクトル a のベクトル b への正射影ベクトル p を描いている．この場合の一般式は

$$a\cdot b = l\times|b|$$

となる．ここに，l は正射影ベクトル p の長さである．この場合，$\ell=\sqrt{10}$，$|b|=\sqrt{10}$ となるので，$\ell\times|b|=\sqrt{10}\times\sqrt{10}=10$ となり，図 8.3 の場合の $l\times|a|$ の値と等しくなる．

以上，$a\cdot b=l\times|a|$ と $a\cdot b=l\times|b|$ が成立することを，ベクトル a と b を具体的に指定して確かめた．なお，ドットプロダクトの定義式より，一般に，任意の a と b に対して，$a\cdot b=b\cdot a$ が成立するので，具体的に指定したベクトルに対して，$l\times|a|=l\times|b|$ が成立することは明らかである．

線形変換

2×2 行列の場合について，行列とベクトルの掛け算は，一般に，

$$\begin{bmatrix} a & b \\ c & d \end{bmatrix}\begin{bmatrix} x \\ y \end{bmatrix}=x\begin{bmatrix} a \\ c \end{bmatrix}+y\begin{bmatrix} b \\ d \end{bmatrix}=\begin{bmatrix} xa+yb \\ xc+yd \end{bmatrix}$$

と表される．このように，行列の掛け算で定義される変換を**線形変換**という．この 2×2 行列による変換とは，ベクトル (x,y) をベクトル $(xa+yb, xc+yd)$ に移す変換である．具体的に数値を入れて計算すると，たとえば，

$$\begin{bmatrix} 2 & 1 \\ 0 & 1 \end{bmatrix}\begin{bmatrix} 2 \\ 1 \end{bmatrix}=2\cdot\begin{bmatrix} 2 \\ 0 \end{bmatrix}+1\cdot\begin{bmatrix} 1 \\ 1 \end{bmatrix}$$

$$=\begin{bmatrix} 2\times2+1\times1 \\ 2\times0+1\times1 \end{bmatrix}=\begin{bmatrix} 5 \\ 1 \end{bmatrix}$$

となる．この例では，行列 $\begin{bmatrix} 2 & 1 \\ 0 & 1 \end{bmatrix}$ による線形変換でベクトル $(2,1)$ はベクトル $(5,1)$ に移る．図 8.5 には，この場合のベクトル $a=(2,1)$ と $a'=(5,1)$ を示してある．この変換は，通常の格子面（黒のライン）から歪ませた格子面（グレーのライン）への変換とみなすことができる．図 8.5 に示すように，通常の格子面の基準となるベクトルを e_1 と e_2 とし，歪ませた格子面の基準となるベクトルを α_1 と α_2 とする．e_1 と e_2 を基準となるベクトルとするということは，a と a' のベクトルを $a=(2,1)$，$a'=(5,1)$ と表すということである．一方，α_1 と α_2 を基準とするということは，格子面をグレーのラインで描いて，グレーの数字でベクトルの要素を表すということである．

線形変換の具体例からもわかるように，ベクトルに線形変換を施すと，ベクトルは歪んだ格子面に移るが，直観的には，変換前の格子面におけるベクトルの相互の関係は，変換先の格子面では歪みは加えられるが，それなりに保存されるということになる．

ここでは，2×2 行列を用いて，長さ 2 のベクトルの線形変換の具体例を取りあげた．実際にこの講で扱うのは，512×512 行列で，したがって，ベクトルの長さは 512 である．次元が上がり，具体的に思い描くことはできないのであるが，512×512 行列の線形変換はやはり歪ませた空間へのマッピングとなる．

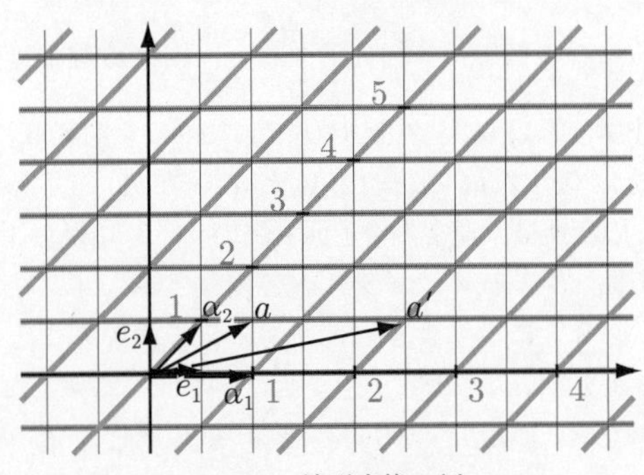

図8.5　線形変換の例

ソフトマックス

ベクトル $x=(x_1, \dots, x_n)$ を正または負の数を要素とするベクトルとする．ソフトマックス（SoftMax）とは，次のように定義されるベクトルからベクトルへの関数 f である．

$$f(x_1, \dots, x_n) = (y_1, \dots, y_n)$$

ここに，

$$y_i = \frac{e^{x_i}}{e^{x_1} + \dots + e^{x_n}}$$

ここに，$1 \leqq i \leqq n$ である．また，e は自然対数の底である．ソフトマックスの変換を次のようにまとめておく．

- $\{x_1, \dots, x_n\}$ の大小関係は，$\{y_1, \dots, y_n\}$ でも保存される．すなわち，$x_i \leqq x_j$ ならば，$y_i \leqq y_j$．ここに，$1 \leqq i, j \leqq n$.

- $\{y_1, ..., y_n\}$ の値は0と1の範囲に入り（任意の i に対して，$0 \leqq y_i \leqq 1$），$y_1 + ... + y_n = 1$ が成立する．したがって，$(y_1, ..., y_n)$ は確率分布とみなすことができる．
- $\{x_1, ..., x_n\}$ における大きさの違いが，$\{y_1, ..., y_n\}$ で強調される．すなわち，大きいものはさらに大きく，小さいものはさらに小さくなる．

SoftMax は，最大値だけでなく，それに続く値もその大きさに応じて残すという意味で“ソフト”である．一方，SoftMax と対をなす HardMax では，SoftMax と同じように定義されるが，最大値は1とし，それ以外の値はすべて0とする（ただし，最大値は一意に決まるとする）．このやり方は，“ハード”ということになる．勾配降下法では，誤差関数はなだらかに変化する必要がある（微分可能）ので，AI プログラムでは SoftMax がよく用いられる．第6講の図6.11の畳み込みニューラルネットでも用いられた．

8.4 回帰型ニューラルネットワーク

前節までで，トランスフォーマーを理解するための準備は整った．しかし，その説明に入る前に，ニューラルネットワークを用いた従来の機械翻訳について説明し，機械翻訳の基本についてつかんでおく．

ニューラルネットワークでは，入力されたベクトルは，ネットワークを進み，最後に出力されると計算は終わる．

これに対して，一度計算された出力を再度入力して，計算を繰り返すモデルもある．そのような計算モデルに，**回帰型ニューラルネットワークRNN**（Recurrent Neural Network）と呼ばれるものがある．図8.6は，そのような計算モデルを描いたものである．このニューラルネットワークが計算する関数を f で表すことにすると，このネットワークは (v, u) を入力して $f(v, u) = (v', u')$ を出力する．これらの v, u, v', u' はいずれもベクトルである．計算のステップが刻まれていて，(v, u) が入力され，次のステップで $f(v, u) = (v', u')$ が出力される．このように，戻りのループの長方形のボックスは1ステップの時間の遅れを生じさせる遅延素子として働く．

回帰型ニューラルネットワークはステップを刻むので，時間軸を入れて各ステップの様子を横に並べて展開することができる．図8.7は，英語から日本語への翻訳を例にとり，展開した結果を表したものである．

この図では，図8.6の u' を自分自身に返すのではなく，ボックスの中央部から伸ばしたラインで，次のステップのボックスに h_t として送っている．図の各ボックスの中身は同じニューラルネットワークであり，重みはそのまま次のステップに引き継がれる．ここでは省略するが，図8.6の各ボックスの重みは，英文と日本文の正しいペア（対訳コーパス）を用いて，バックプロパゲーションによりトレーニングする．トレーニングが終わると，エンコーダー部分に英文を入力すると，デコーダー部分から翻訳

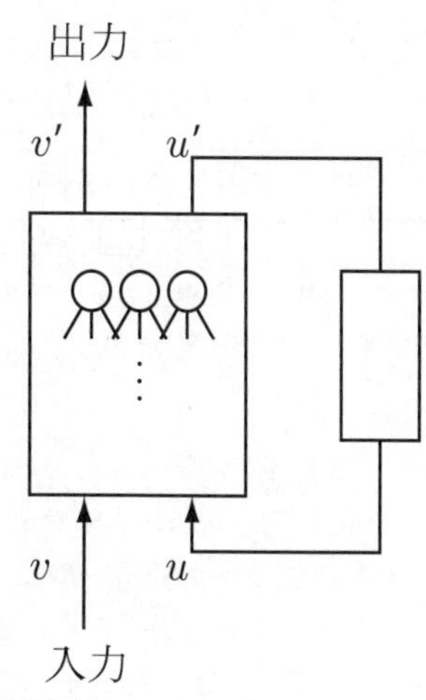

図8.6 回帰型ニューラルネットワーク（展開前）

した日本文が出力されるようになる．

図 8.7 に示すように，全体はエンコーダー部分とデコーダー部分に分かれている．この図は，エンコーダー部分に入力した文“I love eating pizza”を“私 は”まで翻訳した時点での様子を表している．この図の単語は，実際は，対応するワードエンベーディングとして表されている．図の $h_1, h_2, \ldots$ は各ブロックのそれぞれのニューラルネットワークで計算された固定長のベクトルで，**隠れ状態**と呼ばれるものである．図 8.7 からわかるように，デコーダー部分の最初のブロックは，隠れ状態 h_4 とスタート

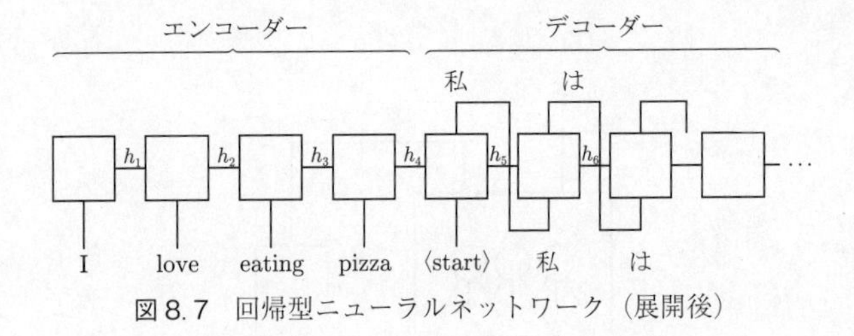

図8.7　回帰型ニューラルネットワーク（展開後）

を表す特別の記号〈START〉を入力し，次のブロックに送る h_5 と“私”を表すワードエンベーディングを出力する．同じように，次のブロックでは，h_5 と“私”を入力して，h_6 と“は”を出力するというように繰り返される．なお，このように，ステップ t の出力を，ステップ $t-1$ の自身の出力を戻して入力した上で計算する方式は**自己回帰型**（autoregressive）と呼ばれる．

ここまでくると，回帰型ニューラルネットワークの本質的な欠陥もはっきりしてくる．図8.7の例だと，隠れ状態の h_4 にエンコーダー（8.7節で説明）側からデコーダー（8.10節で説明）側へ引き渡される情報のすべてが入っているので，デコーダーはこの情報をもとに翻訳結果の文を計算する．しかし，この隠れ状態のベクトルの長さは固定されている．一方，元の文の単語数はいくらでも長くなる．そのため，元の文の情報を引き渡す隠れ状態に組み込めないということが起こる（実際は，文の単語数には，上限を設けるが，この上限は大きく設定されるため，文のすべての情報を隠れ状態に取り込むことはできない）．このような欠陥はトランスフォーマーの導入により克服されるが，このことについては8.6節で説明する．

8.5 セルフアテンション

セルフアテンションはトランスフォーマーの核心となる計算の仕組みである．そこで，まず，セルフアテンションの仕組みをしっかりつかんでおくことにする．

まず，次の例文を取りあげる．

I drove across the road to get the other bank.

I swam across the river to get the other bank.

"bank"には，銀行の他に土手という意味があるので，同じ文中の他の単語の何割かをbankのワードエンベーディングに上乗せして，bankのワードエンベーディングを見ただけで，銀行か土手かを区別できるようにする．これがセルフアテンションの基本である．文脈情報により，"B"と"13"の区別がつくようになるという考え方と同じで，"bank"は，"B"または"13"に解釈される中央の記号に相当する．初めの英文の場合は，"bank"に"drove"と"road"を上乗せし，次の文の場合は，"swam"と"river"を上乗せすればよい．上乗せすることを具体的に書いてみよう．"drove"の上乗せの場合は，

$$V(\mathrm{bank}) \leftarrow V(\mathrm{bank}) + \alpha \times V(\mathrm{drove})$$

となる．$V(\mathrm{bank})$に$V(\mathrm{drove})$の10%を上乗せしたい場

合は，$\alpha=0.1$ とすればよい．これは，プログラミングの代入文の記法である．$\leftarrow$ の左辺の $V(\cdot)$ は変数が置かれている“場所”を表し，右辺の $V(\cdot)$ は変数が置かれている場所にある“値”を表す．つまり，左辺の“場所”に右辺の“値”を入れることを表す．ワードエンベーディング $V(\text{bank})$ を $a=(a_1, \ldots. a_d)$ で表し，$V(\text{drove})$ を $b=(b_1, \ldots. b_d)$ で表すと，この代入文により，$V(\text{bank})$ が置かれている場所の内容は次のように変化する．

$$(a_1, \ldots. a_d) \rightarrow (a_1+\alpha\times b_1, \ldots, a_d+\alpha\times b_d)$$

この場合の上乗せする割合 α は，2つの単語の意味が近いとき，大きくなるようにし，遠いとき，小さくなるようにする．そのためには，α をドットプロダクトを使って，次のように計算すればよい．

$$\alpha=V(\text{drove})\cdot V(\text{bank})$$

これまでは $V(\text{drove})$ から $V(\text{bank})$ への上乗せであったが，実際には，この文に現れる11個すべての単語から $V(\text{bank})$ への上乗せを実行する．この11個の中には，$V(\text{bank})$ 自身も含まれる．さらに，上乗せされる $V(\text{bank})$ も，文に現れるすべての単語にわたって動かして，11個の単語からすべて上乗せする．文は，n の単語からなるとして，これらの単語のワードエンベーディングを $v_1, \ldots. v_n$ と表すことにする．上乗せは，一般的に，次のように表される．

$$v_1 \leftarrow w_{1,1}v_1 + \dots + w_{1,n}v_n,$$
$$\vdots \tag{1}$$
$$v_n \leftarrow w_{n,1}v_1 + \dots + w_{n,n}v_n$$

ただし，$i, j \in \{1, \dots, n\}$ に対して

$$w_{i,j} = v_i \cdot v_j, \tag{2}$$

とする．ここで，$w_{i,j}$ は，v_i に上乗せする v_j の割合を表すもので，v_i と v_j のドットプロダクト $v_i \cdot v_j$ で定義される．この (1) と (2) は，セルフアテンションの骨格を表すものであるので，しっかり押さえておくことにしよう．(1) の n 個の式を代表して

$$v_* \leftarrow w_{*,1}v_1 + \dots + w_{*,n}v_n \tag{3}$$

と表すことにし，$i \in \{1, \dots, n\}$ に対して，

$$w_{*,i} = v_* \cdot v_i, \tag{4}$$

と表すことにする．ここに，$*$ は $\{1, \dots, n\}$ 上を動く，一般化したサフィックスである．

これらの式に現れる $v_1, \dots, v_n$ は，どれも単語のワードエンベーディングである．同じワードエンベーディングでも，上乗せするときは少し役割が違ってくる．そのため，ワードエンベーディングに名前を付けて，その違いがわかるようにしておくと，説明がやりやすくなる．(3) の右辺の v_* は**クエリ**（query）と呼ばれ，v_i は**キー**（key）と呼ばれる．この2つのベクトルのドットプロダクトをとり，上乗せする割合 $w_{*,i} = v_* \cdot v_i$ を計算し，これを v_* に上乗せする割合とする．この割合で実際に上乗せされる

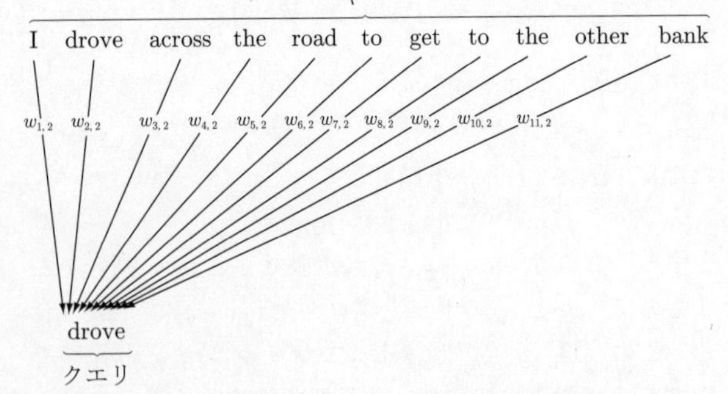

図8.8 ワードエンベーディングの上乗せにおけるクエリとキー

ワードエンベーディング v_i はバリュー（value）と呼ばれる．これらの用語はデータベースの用語を流用して使っている．クエリとキーのドットプロダクトから上乗せする割合を求め，実際に上乗せするのはバリューという関係にある．クエリ，キー，バリューはこれからの議論の土台となる．これらの名称は，単にワードエンベーディングの働きを区別するための符丁と割り切って，その意味するところを図 8.8 の具体例でつかんでおこう．

8.6 トランスフォーマーの動作の流れ

トランスフォーマーの動作の詳しい説明に進む前に，全体の動作の流れを見ておこう．図8.9は，トランスフォーマー全体の動作の流れを描いたものである．全体は，エンコーダーの動作とそれに続くデコーダーの動作からなる．この図の丸で囲った数字は，計算の順序を表している．また，図中の横長の箱はワードエンベーディングを表している．まず，①で，単語のすべてのペアの間でワードエンベーディングの上乗せを一斉に並列して実行する．この上乗せされたワードエンベーディングに対して，さらに①と同じように上乗せするのが②である．同様に，③でさらにもう一度上乗せする．この図では，簡単化して繰り返しは3回にしているが，実際には，6回繰り返す．

この図では，“I love eating pizza”から“私 は ピザ が 好き です”への翻訳の途中の状態を描いている．また，わかりやすさを優先して単語で表しているが，実際には，ワードエンベーディングが現れる．これまで，V(love)やV(ピザ)などと表したものである．

次に，デコーダーに進む．デコーダーの動作は④から始まる．エンコーダーの最後の③で上乗せで得られたワードエンベーディングは，すべてデコーダーの各ステップに送られる（4本のラインの束を通して送られる）．デコーダー部分の④では，⟨START⟩のワードエンベーディング，および，エンコーダーから送られた“I”，“love”，“eating”，“pizza”のワードエンベーディングをもとにして，翻訳される文の最初の単語“私”の計算を開始する．④,⑤,⑥で計算された“私”は次の⑦の計算の箇所に送られる．このように，デコーダー部分で自分で計算した“私”を次の計算のために戻すのは，図8.7のRNNのデ

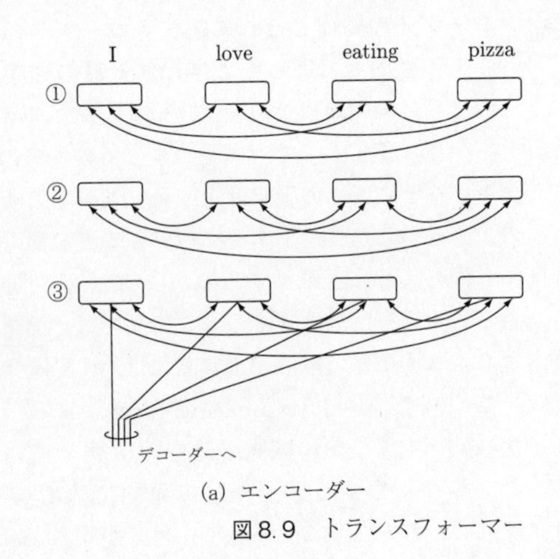

(a) エンコーダー

図8.9　トランスフォーマー

コーダーの回帰型モデルと同じである．このようにして，翻訳結果の文の単語を一つずつ計算する．

トランスフォーマーによる翻訳では，エンコーダーでは文のすべての単語に対して並列に一括処理した後，デコーダーでは翻訳結果の単語を一つずつ順番に計算していく．その際に，エンコーダーが計算したものをすべてデコーダーで利用するようになっている．

トランスフォーマーの翻訳の流れがはっきりしてきたので，8.4節で説明した回帰型ニューラルネットワークがもつ欠陥がトランスフォーマーでは解消されるということも明らかである．すなわち，エンコーダー側からデコーダー

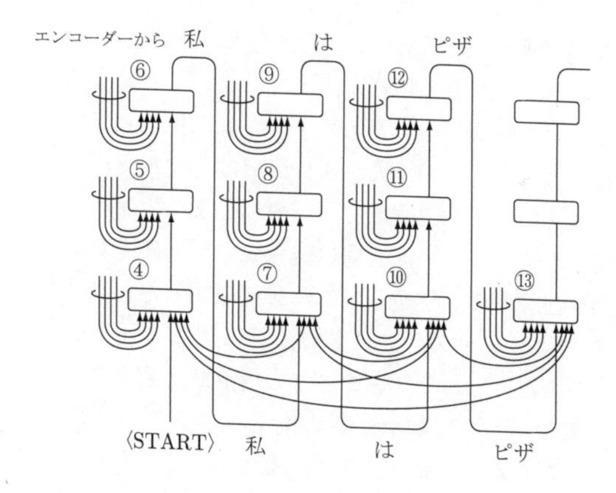

(b) デコーダー

による翻訳の流れ

側に引き渡される情報は，翻訳される文中の単語の個数を n とすると，n 個の上乗せ後のワードエンベーディングだからである．このように，引き渡されるワードエンベーディングは元の文の長さに応じて増えるので，引き渡される情報がボトルネックとなることはない．

トランスフォーマーの動作の流れがつかめたので，ここで，次節以降の節の内容について簡単にまとめておく．トランスフォーマーはエンコーダーとデコーダーから構成されるが，次の 8.7 節ではエンコーダーの説明をする．次に，8.8 節ではポジション情報の注入について説明する．ポジション情報の注入とは，文中の単語のワードエンベーディングの上乗せを実行して，それをセットとして扱うと，文中の単語の順番の情報が消えてしまうことになるため，単語の元の順番をあらかじめポジション情報として注入しておくというものである．8.9節では，マルチヘッドアテンションについて説明する．一般に，文の単語の間には係り受けの関係があり，人間は無意識のうちにそれを踏まえて文を理解する．しかし，これまで説明した上乗せ割合のパタンはドットプロダクトの演算により1通りに決まるだけである．そこで，さまざまの視点で上乗せ割合のパタンを複数つくり，翻訳の質の向上を図るというのがマルチヘッドアテンションである．8.9節では，このような発想に基づいたマルチヘッドアテンションについて説明する．さらに，8.10節ではデコーダーについて，また，8.11節ではトランスフォーマーのトレーニングについて説明する．

8.7 エンコーダー

前節で説明した通り，トランスフォーマーはエンコーダーとデコーダーよりなる．この節では，まず，エンコーダーの説明をする．エンコーダーの動作の根幹にあるのは，セルフアテンションの働きである．具体的には，(1) と (2) で表される上乗せである．

実際のエンコーダーでは，8.5節の (1) と (2) で表される上乗せだけでなく，関連していろいろな計算が追加される．それを表したのが図8.10である．まず，この図の説明から始める．この図は基本的には，(3) の計算を図として表したもので，(3) の右辺を代表する一つの項 $(v_* \cdot v_i)v_i$ の計算を表している．ただし，v_* や v_i の代わりに，$W_{\mathrm{Q}}v_*$ や $W_{\mathrm{K}}v_i$ が用いられる．つまり，v_* や v_i がそれぞれ行列 W_{Q} と W_{K} により，線形変換された上で用いられている．線形変換したもののドットプロダクトをとったものを，新しく重み $w_{*,i}$ としている．代入文の形式で書くと

$$w_{*,i} \leftarrow (W_{\mathrm{Q}}v_*) \cdot (W_{\mathrm{K}}v_i)$$

となる．さらに，このようにして得られる重み $w_{*,1}, \ldots, w_{*,n}$ を，SoftMax により，大きいものは，さらに大きく，小さいものは，さらに小さくしている．図 8.11 に示すような SoftMax があり，これに

$$x_1 = (W_{\mathrm{Q}}v_*) \cdot (W_{\mathrm{K}}v_1), \quad \cdots, \quad x_n = (W_{\mathrm{Q}}v_*) \cdot (W_{\mathrm{K}}v_n)$$

を入力する．このように，SoftMax は，すべての項からドットプロダクトの結果が入力されるのであるが，図 8.10 では，一つの代表する項を描き，他は省略している．さらに，バリュー v_i も行列 W_{V} により線形変換され，$W_{\mathrm{V}}v_i$ に変換される．

また，図 8.11 の "スケーリングした SoftMax" では，クエリとキーのワードエンベーディングのドットプロダクトをとって，その後 $\frac{1}{\sqrt{d}}$ を掛けてから SoftMax の変換を施す．$\frac{1}{\sqrt{d}}$ を掛けているのは係数の調整である．これをしないと，ドットプロダクトの定義より，ワードエンベー

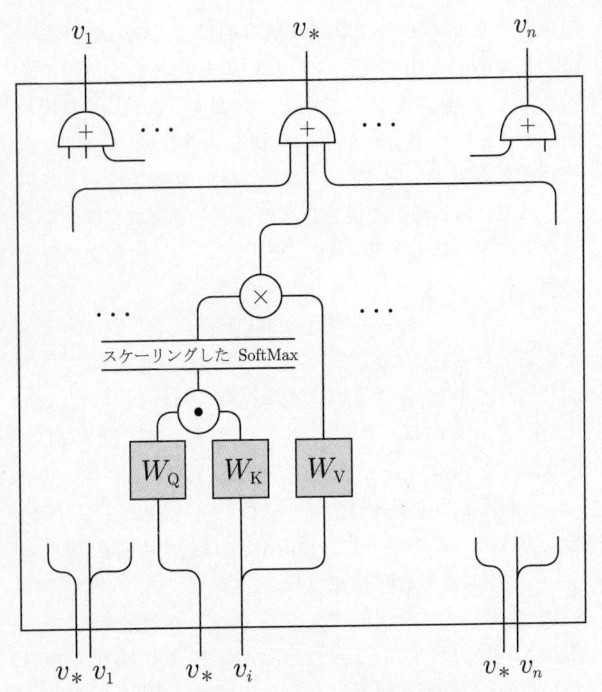

図 8.10　セルフアテンションの計算グラフ

ディングの次元 d が大きくなると，それに応じてドットプロダクトの演算結果（演算結果の絶対値）も大きくなりすぎるからである．ドットプロダクトの演算結果が大きすぎると，勾配降下法によりトレーニングのとき，勾配消失が起き，トレーニングが進まなくなる．

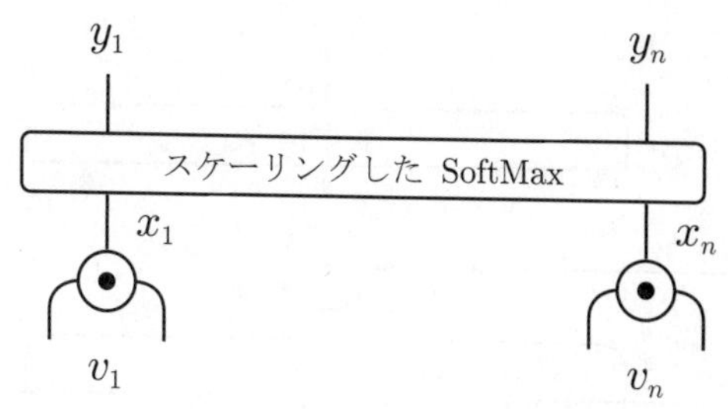

図 8.11 スケーリングした SoftMax

次に，行列 $W_{\mathrm{Q}}, W_{\mathrm{K}}, W_{\mathrm{V}}$ について説明する．これらは，（1）と（2）の上乗せの式には現れていなかったものである．これらの行列の要素は重みととらえられ，この重みが勾配降下法により更新される．すなわち，対訳コーパスが示している正しい文を出力する方向へ重み更新される．ワードエンベーディングが埋め込まれた空間において，ワードエンベーディングの相互の位置関係が意味を反映するようになっているので，線形変換により，正しい文を出力する方向へ空間全体を歪ませる．

図 8.12 はエンコーダーの構成図である．図 8.10 の上乗せの機構は，図 8.12 ではマルチヘッドアテンションに組み込まれている．これまでは，文の n 個の単語のワードエンベーディングに関わる計算を図 8.10 や図 8.11 のように n 本のラインで表してきたが，図 8.12 ではこれらの n 本のラインを束にして 1 本のラインで表し，計算の流れに焦点を合わせた図となっている．

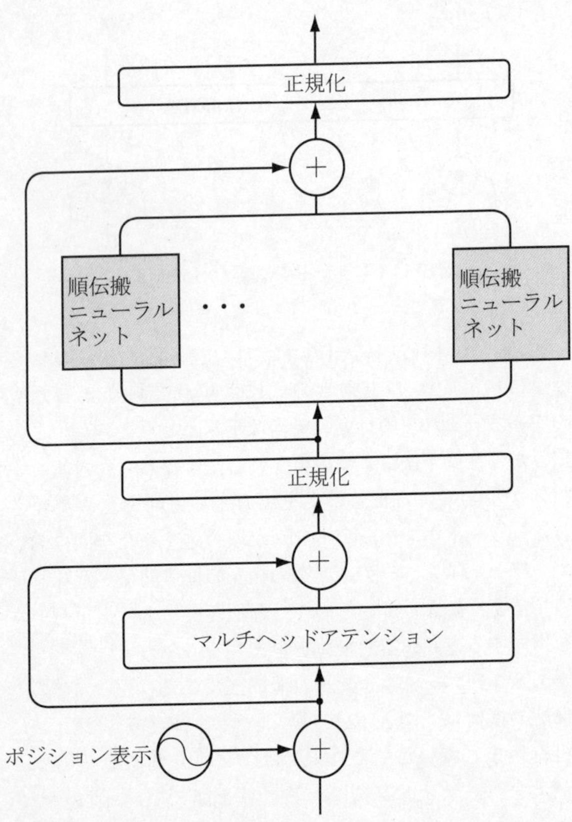
正規化
順伝搬
ニューラル
ネット
・・・
順伝搬
ニューラル
ネット
正規化
マルチヘッドアテンション
ポジション表示
ひとつの文の単語のワードエンベーディング

図 8.12　エンコーダー

図8.12でポジション情報を注入する部分を除いた残り全体をブロックと呼ぶ．エンコーダーはこのブロックを6段重ねて構成される．ポジション情報の注入は，最初のブロックの入力のところで行われるだけである．この積み重ねは，図8.9のトランスフォーマーの動作の流れの図と対応している．複雑になりすぎるので，図8.9では，動作の繰り返しは3回としていたが，実際は6回実行される．

図8.12のマルチヘッドアテンションとはセルフアテンションを8枚重ねたものである．トランスフォーマーにとって，8枚のセルフアテンションを同時に見られるので，翻訳の質の向上につながることになる．

図8.12に示すように，エンコーダーは前半部のマルチヘッドアテンションと後半部の順伝搬ニューラルネットからなる．このうち，後半部はこれまで説明してきた通常のニューラルネットである．両者の間に入るのが，正規化のネットワークである．大まかに言えば，前半部でワードエンベーディングの上乗せで情報を煮詰め，これを後半部でデコーダーへ送る情報として整える．また，学習の観点から見ると，重み更新するトレーニングの対象となるのは，マルチヘッドアテンションに組み込まれている行列 $W_{\mathrm{Q}}, W_{\mathrm{K}}, W_{\mathrm{V}}$ と順伝搬ニューラルネットである．

すでに述べた通り，図8.10と図8.12では，ラインの描き方に違いがある．図8.10では，文中の n 個の単語に対応する n 本のラインが描かれているのに対し，図8.12

では n 本のラインを束にして1本のラインとして描いている．ただし，順伝搬ニューラルネットだけは n 本に分離して描いている．これらの順伝搬ニューラルネットは，2層の全結合のニューラルネットワークとして構成される．全結合とは，入力層と出力層の間ではすべてのニューロン間がラインで結ばれていることを意味する．言い換えると，8.10節の図8.17のリニア層を2段重ねたような構成である．なお，これらの層の間では，シグモイド関数の代りにReLU関数が用いられる．ところで，図8.10の W_{Q}，W_{K}，W_{V} と図8.12の順伝搬ニューラルネットはグレーで描かれているが，このグレーはここでバックプロパケーションによる重み更新が実行されることを意味している．

また，前半部と後半部にはスキップコネクションがある．図8.12の ⊕ に，中央のラインのベクトル $v=(v_1, \ldots, v_n)$ と迂回路を経由したベクトル $u=(u_1, \ldots, u_n)$ が入力すると，$v+u=(v_1+u_1, \ldots, v_n+u_n)$ を出力する．さらに，中央の正規化のコンポーネントは，前半部の出力 $v=(v_1, \ldots, v_n)$ を入力すると，$v_1, \ldots, v_n$ の平均値と分散を標準化したベクトルを出力するものである．

8.8 ポジション情報の注入

文が n 個の単語からなる場合，単語のペアは n^2 通りのとり方がある．この n^2 個の単語のペアに対して，ワードエンベーディングの上乗せをすると，その結果，n 個のワードエンベーディングが得られる．この上乗せでは，文脈情報の適量を上乗せしているので，n 個ある個々のワードエンベーディングはそれ自身で情報が完結しており，もはや文脈情報は不要となる．そして，上乗せ後は，n のワードエンベーディングはセットとして扱う．セットとして扱うということは，単語の並びの順番の情報は消えるということである．しかし，順番の情報を消し去ると次のような不都合なことも起きる．

犬が人を噛んでもニュースにならないが，人が犬を噛むとニュースになると言われる．しかし，意味の異なる“a dog bites a man”と“a man bites a dog”に対して，セルフアテンションによりワードエンベーディングの上乗せをすると，これらの 2 文で得られるワードエンベーディングのセットは同じものとなる．ワードエンベーディングの上乗せは単語の順番には無関係に実行されるからである．これまでに説明した上乗せを用いることにすると，トランスフォーマーでは，上乗せしたワードエンベーディングをセットとして扱うため，これらの 2 文を区別することはできないという不都合が生じる．

そのため，これまで説明した上乗せに，単語の順番の情報の上乗せも追加することにする．単語のポジション情報の上乗せである．一度順番の情報を消し去ったワードエンベーディングに，再度，順番情報を注入するので，元に逆戻りのようにも見えるが，それは違う．各ワードエンベーディングには，文脈情報と順番情報の両方が注入されており，それぞれ独立したものとして扱われるからである．これにより，個々のワードエンベーディングはそれ自身で情報が完結しているので，文の単語ワードエンベーディングが並列して一挙に処理されるようになる．そのため，計算の効率がいい．ここに，トランスフォーマーが効率よく計算できることの鍵がある．

まず，ポジション情報の注入に関しては，ワードエンベーディングは $v=(v_0, \ldots, v_{511})$ というように，サフィックスは0から始まるものとして表す．順番も，$p=(p_0, \ldots, p_{511})$ と同じように0から始まるサフィックスで，長さ512のベクトルで表す．具体的に，順番を $p=(p_0, \ldots, p_{511})$ でどう表すかの説明は後に回す．そして，ワードエンベーディング $v=(v_0, \ldots, v_{511})$ にポジション $p=(p_0, \ldots, p_{511})$ を注入することを

$$v+p=(v_0+p_0, \ldots, v_{511}+p_{511})$$

と定義する．これまで説明してきたワードエンベーディングの上乗せと同じやり方である．この方法だと，ポジション情報を注入して得られるベクトル $v+p$ の各要素 v_i+p_i の p_i を取り出すことすらできない．加えてしまっているからである．しかし，512個のセットで見ればこれができるようになっている．このように，ポジション情報を上乗せするやり方は，人間にとってはわかりにくい．人間にとってわかりやすいのは，長さ512のベクトルの初めの，たとえば，7ビットでポジションを表し，残りの長さ505ビットをワードエンベーディング用とするという方式であ

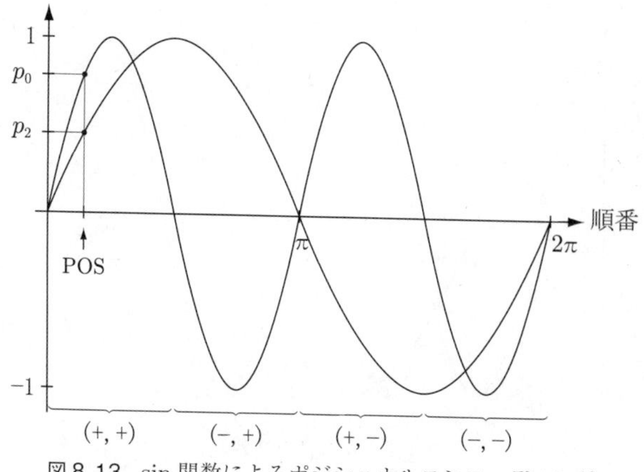

図 8.13 sin 関数によるポジショナルエンコーディング

る．初めの 7 ビットは 0 か 1 の値とすれば，これだけで 128 のポジションを表すことができる（$2^7 = 128$）．実際のトランスフォーマーでは，いろいろの方式を検討した結果，先に述べたような方式に落ち着いたものと思われる．

ポジションの個数を 512 とし，正負の数値のベクトル $p = (p_0, \ldots, p_{511})$ で $\mathrm{POS} \in \{0, 1, \ldots, 511\}$ を表すものとする．その表し方の説明に進む．ポジション POS をベクトル $p = (p_0, \ldots, p_{511})$ で表す方式を，**ポジショナルエンコーディング**（positional encoding）と呼ぶ．このポジショナルエンコーディングは周期の異なる sin 関数と cos 関数によって定められる．図 8.13 と図 8.14 では，ポジショナルエンコーディングが長さ 4 の場合について，POS と

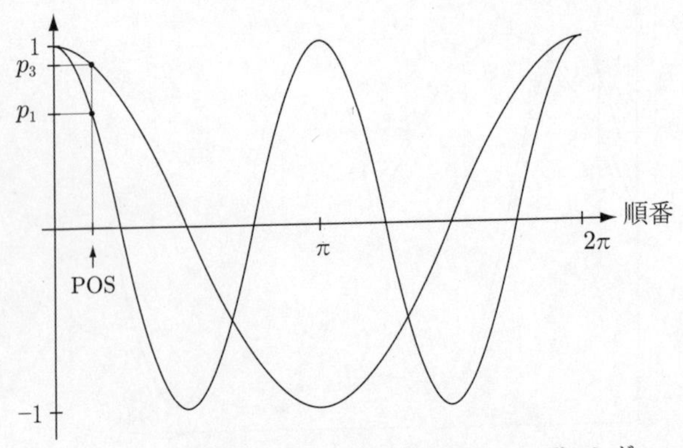

図 8. 14　cos 関数によるポジショナルエンコーディング

p_0, p_1, p_2, p_3 の関係を表している．図 8. 13 は，周期が異なる 2 つの sin を用いて，ポジション POS に対応する p_0 と p_2 の値を表している．同じように，図 8. 14 は cos 関数を用いて，ポジション POS に対応する p_1 と p_3 の値を表している．一般に，図 8. 13 に示すように，p_0 と p_2 の値の正負の組み合わせによって，$(+, +), (-, +), (+, -), (-, -)$ に分けたとすると，図に示すように，$\{0, 1, \ldots, 511\}$ 全体が 4 つの領域に分けられる．ポジショナルエンコーディングの次元数を上げていくと，$p = (p_0, \ldots, p_{511})$ の各要素の正負の符号だけを用いるとしてもポジション POS が特定されるようになっている．実際のポジショナルエンコーディングは $p = (p_0, \ldots, p_{511})$ の各要素は -1 から 1 の範囲の数値である（注 13）．

8.9 マルチヘッドアテンション

マルチヘッドアテンションの説明に入る前に，図 8.15 に示されている上乗せについて考えてみる．これまでは，一つの文に対して一つの上乗せのパタンを使ってセルフアテンションの説明をしてきたが，この図では，3 通りのパタンを示している．このように，3 通りのパタンが示されていれば，“drove” の目的を知るためには (a) を見ればいいし，経由を知るためには (b) を見ればいいし，動作主体を知るためには (c) を見ればいい．これは，単語の意味を知っている人間がつくった上乗せの割合のパタンである．トランスフォーマーは意味を解釈しているわけではなく，数値の系列であるベクトルを処理しているだけである．文の意味を解釈しないトランスフォーマーではあるが，図 8.15 のような複数のセルフアテンションを見られるのであれば，対訳コーパスによる教師あり学習をするトランスフォーマーの翻訳はスムーズにいくはずというのが，マルチヘッドアテンションの基本的な考え方である．マルチヘッドアテンションを一言で言い表せば，セルフアテンションを複数個集めたものである．具体的には，トランスフォーマーはセルフアテンションを 8 枚用意する．これがマルチヘッドアテンションの大筋である．

文の意味がわからないトランスフォーマーが 8 枚もの係り受けのパタンをつくることができるのであろうか．8 枚のマルチヘッドアテンションのパターンは次のようにつくられる．トランスフォーマーでは，重みの数値はランダ

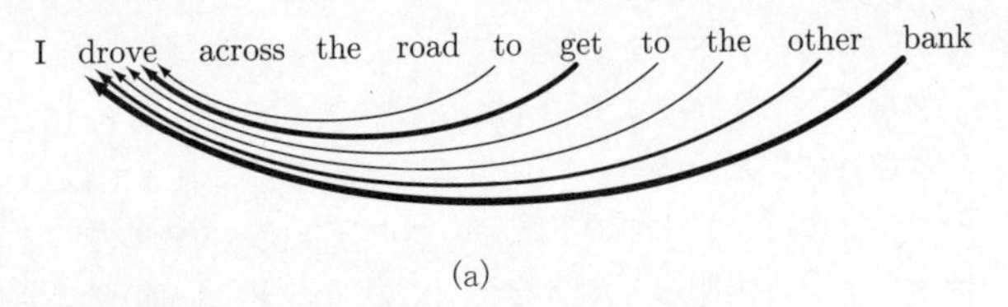

(a)

I drove across the road to get to the other bank

(b)

I drove across the road to get to the other bank

(c)

図 8.15　文の係り受けに基づいた上乗せ，矢印の太さは上乗せの割合を表す

ムに初期設定して学習を開始し，教師あり学習で重み更新を繰り返す．なお，トランスフォーマ一の重みは，エンコーダー側では，図 8.10 の 3 つの行列 W_{Q}，W_{K}，W_{V} の要素として，さらに図 8.12 の順伝搬ニューラルネットの重みとして表われ，デコーダー側でも同様である．このように，マルチヘッドアテンションは，学習により 8 枚の上乗せのパタンが決まるものであって，図 8.15 のように意味を理解している人間が説明のために人為的につくったものではない．

マルチヘッドアテンションでつくられる 8 枚の上乗せの割合のパタンは，教師あり学習を実行して，実際に得られる結果を見るしかない．その結果は，主語と述語の関係や述語と目的語の関係など，文法上の関係が反映されているパタンもあるが，少数であり，残りはすぐには解釈されないものであった（注 14）．トランスフォーマーのトレーニングで，対訳コーパスを用いて正しい翻訳文からのズレを減少させるように重み更新を繰り返すと，いずれは正しく翻訳された文を出力するようになる．しかし，マルチヘッドアテンションで得られる上乗せのパタンが，人間が意味を理解するときのものと同じものとなっているわけではない．

ところで，トランスフォーマーは，ワードエンベーディングを入力してから出力するまでの間，常に長さ 512 のベクトルとして扱うという設計方針により組み立てられている．そのため，この設計方針に従って，マルチヘッドアテンションも組み立てる．それには，ワードエンベーディングに 64×512 の行列を掛けて，いったんその長さを 64 とすればいい．単語は長さ 64 のワードエンベーディングで表されているとして，独立した 8 通りの上乗せを実行し，得られたワードエンベーディングをつないで，長さが 512（$= 64 \times 8$）のベクトルをつくる．これがマルチヘッドアテンションのあらましである．

8.10 デコーダー

図 8.16 はデコーダーの構成で，これはエンコーダーの図 8.12 に対応するものである．これら図 8.12 と図 8.16 を合わせたものがトランスフォーマーを構成する．エン

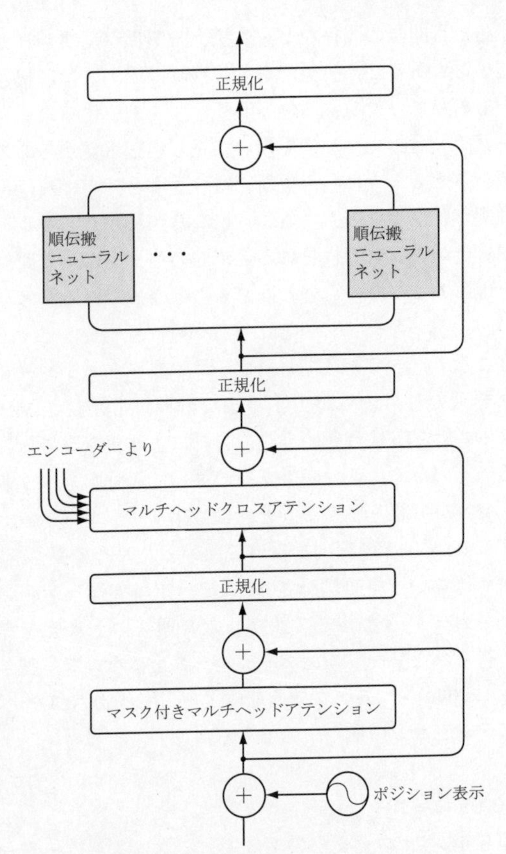
正規化
順伝搬
ニューラル
ネット
・・・
順伝搬
ニューラル
ネット
正規化
エンコーダーより
マルチヘッドクロスアテンション
正規化
マスク付きマルチヘッドアテンション
ポジション表示
翻訳結果の文の単語のワードエンベーディング

図8.16　デコーダー

コーダー側で図 8.12 の各コンポーネントを説明している図 8.10 や図 8.11 に対応するものは，デコーダー側では省略している．デコーダーの構成図（図 8.16）とエンコーダーの構成図（図 8.12）の間の大きな違いは，デコーダー側にはマルチヘッドクロスアテンション（multi-head cross attention）と呼ばれるコンポーネントが挿入されているという点である．また，エンコーダーの場合と同様に，デコーダー全体はこの図 8.16 のブロックが 6 段積み重ねられて構成される．そして，エンコーダーの最後の段（つまり，6 段目のエンコーダー）の出力が，デコーダー側の各段のマルチヘッドクロスアテンションに入力される．また，図 8.9 の動作の流れからもわかるように，エンコーダー部分ではワードエンベーディングの上乗せが並列して実行されるのに対し，デコーダー部分では翻訳結果のワードエンベーディングを一単語ずつ順番に計算する．

デコーダーの働きの中にはエンコーダーとは異なるものも多い．しかし，デコーダーの場合も，その働きの根底にあるのは，8.5 節の（1）と（2）で表されるワードエンベーディングの上乗せの計算である．このことを注意した上で，マルチヘッドクロスアテンションの働きを見てみよう．まず，デコーダーは自己回帰デコーディングを実行する．すなわち，翻訳文の単語を一つずつ出力する．今，ワードエンベーディングを $v_1, \ldots, v_{t-1}$ まで出力し，v_t を出力しようとしているとする．

トランスフォーマーの動作の流れを表す図 8.9 では，

$v_1, \ldots, v_{t-1}$ が“私 は ピザ”に対応し，v_t が“が”に対応している．このタイミングでは，翻訳結果の文の単語のワードエンベーディング $v_t, \ldots, v_n$ が見えないようになっていなければならない．このように，先の単語を隠すことを“**マスクする**”という．マスク付きマルチヘッドアテンションでは，(1)，(2) で表されるワードエンベーディングをそのまま実行するだけで，先の単語は隠されるようにしたい．そのためには，$v_t, \ldots, v_n$ を上乗せする割合を0とすればよい．具体的には，ドットプロダクトの値を絶対値が十分大きい負の値（$-\infty$ と表す）としておくと，SoftMaxの関数を通すことにより，上乗せする割合を実質0とすることができる．このようにして，n 個のワードエンベーディングがマルチヘッドクロスアテンションに送られる．

翻訳の場合，元の言語の文の長さ（文中の単語の個数）と翻訳した文の長さは一般に異なる．実際のプログラムでは，文の長さの上限として決まった長さ $n_{\max}$ を定めておき，すべての文の長さは $n_{\max}$ として扱い，実際の長さを超える分は結め合せて長さを $n_{\max}$ にそろえる．この結め合せの操作を**パディング**（padding）と呼ぶ．肩パッド（shoulder pad）のパッドと同じである．マスキングのときと同じように，パディングされた単語は無視されるようにする．

次に，翻訳する元の言語の文（エンコーダーに入力されている）から翻訳先の言語の文（1単語分右シフトしてデコーダーに入力されている）を計算する仕組みの説明に入る．具体的には，各ステップ t においてデコーダーがすでに $v_1, \ldots, v_{t-1}$ を出力した後に，v_t を計算する仕組みである．これは，機械翻訳するトランスフォーマーの動きの核心であり，これまで説明してきたマルチヘッドアテンション，ポジショナルコーディング，マスキングなどはすべてこの翻訳をスムーズに進めるためのものである．

この翻訳の計算を，図 8.9 の “I love eating pizza” から “私は　ピザ　が　好き　です” への翻訳の例を用いて説明する．この例では，$v_1, \ldots, v_{t-1}$ が “私　は　ピザ” に対応（デコーダーがすでに出力した部分）し，v_t が “が” に対応（これから出力する部分）する．また，$v_t, v_{t+1}, \ldots$ はすべてマスクされている．

まず，“私　は　ピザ” の部分で単語 “ピザ” に対して上乗せを実行する．以下では，“　” で囲った単語で英語または日本語の単語のワードエンベーディングを表すとする．言語が英語と日本語の間でクロスするので，少しわかりにくいのであるが，言語がクロス点を除けば，“ピザ” への上乗せは，セルフアテンションの上乗せそのものである．この上乗せでは，クエリは “ピザ” とし，キーとバリューはエンコーダーから送られてくる “I”，“love”，“eating” とする．まず，“ピザ” と “I” のドットプロダクトをとり，その結果に応じて，バリュー “I” をクエリ “ピザ” に上乗せする．同じように，“love” と “eating” に関しても “ピザ” に上乗せする．

このように上乗せしたワードエンベーディングには，関連する情報が一括して盛り込まれており，そのワードエンベーディングを入力して“が”を出力するように重み更新する．クロスする言語間で，この入力に対してこの出力を出せるように，“が”を教師情報として与えることにより教師あり学習する．イヌかネコかの画像認識でも，数値のベクトルの入力に対して $(1, 0)$ や $(0, 1)$ の出力を出せるように教師あり学習したが，この学習と同じ原理に基づいている．

言語が違えば，ボキャブラリも違ってくる．そのため，異なる言語の単語の間で上乗せを実行するということは，一見意味のないことのようにも見える．しかし，8.2 節の“king”と“queen”のワードエンベーディングの間の関係からもわかるように，一般に，ワードエンベーディングの各要素は単語がもつ根本的な特性を反映するものとなっているので，異なる言語の単語間での上乗せをすることも意味のある操作となる．

最後に，図 8.17 にデコーダーの出力ネットワークを示す．この出力ネットワークには，デコーダーの最後のブロックからの出力が入力され，次にどの単語が出力されるかについての確からしさを表す確率分布が出力される．トランスフォーマーのボキャブラリの総単語数を d と表す．実際の総単語数は数万となるが，区切りのいいところで，たとえば，$d = 10000$ とすることにする．すると，この確率分布は $q = (q_1, \ldots, q_d)$ と表される．ここに，q_i は i 番

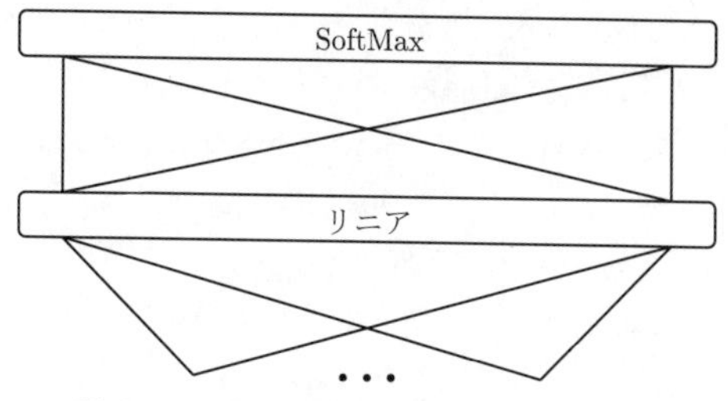

図 8.17　デコーダーの出力ネットワーク

目の単語が出力される確率を表す（$1 \leqq i \leqq d$）．この確率分布を出力するのが，出力ネットワークの SoftMax である．もう一つのコンポーネントのリニア（線形，linear）は 1 層のネットワークで行列で表される線形変換を実行する．この出力ネットワークは，第 6 講の図 6.11 の（b）の分類のネットワークに相当する．

デコーダーの働きについてマルチヘッドクロスアテンションに焦点を合わせて説明してきたが，ここで，図 8.16 に戻り，デコーダー全体の動きを振りかえる．デコーダーは，大きくは，マスクつきマルチヘッドアテンション，マルチヘッドクロスアテンション，それに順伝搬ニューラルネットの 3 つのコンポーネントからなる．クロスアテンションは，各ステップ t で $v_1, \ldots, v_{t-1}$ から v_t を計算するが，残り 2 つのコンポーネントもこれと歩調を合わせてステップを刻み計算を繰り返す．まず，翻訳結果の文（教師からの情報に対応）の単語のワードエンベーディングがマスクつきマルチヘッドアテンションに入力されるが，エンコーダーの場合と同様にポジショナルコーディングが注入される．次のマスクつきマルチヘッドアテンションでは，各ステップ t で $v_1, \ldots, v_{t-1}$ の v_{t-1}（クエリ）に対して各 $v_1, \ldots, v_{t-1}$（キーであり，バリューである）を上乗せする．この上乗せは，キーやバリューのワードエンベーディングがエンコーダーからのものではなく，デコーダーからのものとなっている点を除けば，クロスアテンションの上乗せと同じである．クロスアテンションの場合と同様，v_t 以降はマスクする．

次のマルチヘッドクロスアテンションの動きは，すでに説明したように，v_{t-1} に対して上乗せを実行し，その結果に基づいて v_t を計算する．最後の順伝搬ニューラルネットの動きはエンコーダーの場合と同様である．

図8.16のデコーダーのブロックは6段重ねられ，最後のブロックの出力は図8.17の出力ネットワークに入力され，SoftMaxから出力される1万単語にわたる確率分布の中で最大の確率の単語が予測結果とされる．この単語予測を文の最後であることを表すトークン〈END〉が現われるまで繰り返す．これがデコーダーの動作である．

ところで，上乗せの結果得られるワードエンベーディングは，ディープラーニングのフィーチャーマップに対応していると見なすことができる．どちらも情報を煮つめて得られるものである．デコーダーの1段目ではワードエンベーディングのペアの間で上乗せされ，2段目ではペアのペアの間で上乗せされ，3段目ではペアのペアのペアの間で上乗せされるというように続いていく．このように，上乗せや層を重ねることを繰り返すと，次第に情報は抽象化され，上位の概念がつくり出される．

ところで，翻訳で2つの言語の橋渡しをする箇所は，これまでエンコーダーデコーダーアテンションと呼ばれたり，ソースターゲットアテンションと呼ばれたりすることもあった．しかし，トランスフォーマーが導入されて以来，セルフアテンションという用語が広く使われるようになったため，これと対をなす用語に置き換えられるようになり，**クロスアテンション**（cross attention）という呼称が使われるようになった．

8.11 トランスフォーマーのトレーニング

トランスフォーマーのトレーニングは対訳コーパスを用いた教師あり学習により行う．ここに，対訳コーパスとは，原文と翻訳文の文章対を集めたものである．同じ原文に対して，対訳コーパスでは翻訳文として s_{C} を与え，トランスフォーマーは s_{T} と翻訳したとする．

トランスフォーマーでは翻訳文の各単語 v は確率分布 $q=(q_1, \ldots, q_d)$ により決まる（$q=(q_1, \ldots, q_d)$ で最も高い確率の単語を出力する）．対訳コーパスの文 s_{C} で v に対応する単語を u で表すことにする．このとき，対訳コーパスに対しても u に対する確率分布 $p=(p_1, \ldots, p_d)$ を導入することにより，教師あり学習を定式化できるようにする．この定式化により，確率分布 $q=(q_1, \ldots, q_d)$ を確率分布 $p=(p_1, \ldots, p_d)$ に近づけるように，教師あり学習するとすればよい．ただし，対訳コーパスの場合は，翻訳文は決まっているので，$p=(p_1, \ldots, p_d)$ は，ホットベクトルとなる．すなわち，単語 u のポジション i では，$p_i=1$ とし，その他のポジション j に対しては，$p_j=0$ とする．この確率分布を導入することにより，トランスフォーマーの出力と対訳コーパスの違いを確率分布の違いとして定義できるようになる．確率分布の違いを表す尺度としては，通常，クロスエントロピーが用いられる（注10）．この尺度を用いて，誤差関数を定義すれば，勾配降下法による重み更新により，トランスフォーマーをトレーニングすることができる．

この講を終わるにあたり，トランスフォーマーは，現代のコンピュータとは別のタイプの全く新しい発想の計算のアーキテクチャであることを指摘しておく．この新しいアーキテクチャでポイントとなるのは，メモリアクセスである．コンピュータの計算ではデータの記憶は要となるものである．現代のコンピュータが実行する命令を細かく分解していって，物質で言えば原子のレベルまで細分化したとする．すると，その働きは，既にあるデータに演算を施して新しいデータを計算することと，その際に必要となるデータをメモリから取り出すことと，計算の結果をメモリに記憶することからなる．メモリには番地がついていて，データを取り出したり，格納したりするときは，データのある場所を番地により指定する．

トランスフォーマーのメモリに相当するのは，翻訳対象の一文中の単語のセットである．トランスフォーマーでは，このメモリから読み出すときの番地を指定する必要はなく，ワードエンベーディング間の距離から自動的に決まるようになっている．トランスフォーマーでは，読み出し先も書き込み先もワードエンベーディングのベクトルの内容により自動的に決まる．

現代のコンピュータでは，書き込みや読み出しはデータが格納されている場所のアドレスを通して行われる．これに対して，人間の記憶は**連想記憶**（associative memory）と呼ばれ，アドレスに対応するものが，記憶されている内容そのものである．実際，消毒液の臭いから病院を思い出し，神社から聞こえてくる祭りばやしで金魚すくいや夜店のカラフルな店先の情景を思い出したりする．連想記憶の場合は，記憶されている内容のかけらから，関連する記憶が一挙に読み出されるという特性をもっている．連想記憶は人間に固有のものとみなされるが，トランスフォーマーもこれに類似した動きをする．番地という概念がなく，読み出しと書き込みに相当する操作は記憶した内容であるワードエンベーディングに対して実行され，さらに，トランスフォーマーには現代のコンピュータにはない，学習機能が組み込まれている．

第9講
大規模言語モデル

9.1 事前学習と調整学習

言語モデルとは，文に現れる次の単語を次々と予測するものである．ただし，予測する単語の前までの単語の並びを見た上で予測する．この言語モデルには，第8講のトランスフォーマーのエンコーダー部分を切り取ってつくられるタイプと，デコーダー部分を切り取ってつくられるタイプとがある．どちらも，**自己学習**と呼ばれるタイプの学習によりつくられる．**大規模言語モデル**と呼ばれるのは，トレーニングに使われるコーパスの量と言語モデルのパラメータ（重み）の数が巨大だからである．第10講で取りあげる生成AIは，大規模言語モデルをベースにしてつくられるので，この講は次の第10講への導入となる．

大規模言語モデルのトレーニングでは，大量のコーパスを用いて単語の現れ方の傾向を学習して，次の単語が予測できるようになる．これができると，文が予測できるようになり，文が予測できるようになると，文章が予測できるようになる．大規模言語モデルは，このようにして文を生成したり，文章が生成できるようになる．文章が生成できるようになると，自然で違和感のない文章を選ぶ機能を導入すれば，質問の文章に対して，答えの文章で応答できるようになる．どんな質問に対しても答えを自然な文章で応答してくれるのが，ChatGPT などの生成 AI であり，その生成 AI をつくる際の基盤となるのが大規模言語モデルである．

大規模言語モデルを犬の訓練のたとえで説明してみる．まず，犬を 2 年間みっちり基本動作の訓練をするとする．麻薬探知犬や盲導犬や警察犬などが必要なときは，それぞれ，そのための訓練を数か月追加するだけで望みの犬となるとしよう．大規模言語モデルは，2 年間の基礎訓練をした犬に相当する．一般に，大規模言語モデルの学習は，事前学習と調整学習に分かれる．犬の基礎訓練に相当するものが**事前学習**（pre-training）であり，麻薬探知犬，盲導犬，警察犬などの訓練に相当するものが**調整学習**（fine tuning）である．調整学習を追加することにより，Q&A の質問と応答，ドキュメントの要約，テキスト生成，さらにセンティメントアナリシス（sentiment analysis）など，目的に応じて事前学習した言語モデルを調整学習すれば，それぞれのタスクがこなせるようになる．

このように，大規模言語モデルは，事前学習と調整学習に分けて学習する．インターネットなどで集めた膨大なテキストデータを用いて事前学習した後，少量のデータにより望みのタスクに向けた調整学習をする．ところで，事前学習により大規模言語モデルをつくれるのは，コンピュータなどの豊富な計算資源，高い技術力，それにふんだんな資金力を備えた一握りのビッグ・テックに限られる．また，犬の訓練と違い，いったん大規模言語モデルが得られると，その重みのセットをコピーすれば，いくらでも大規模言語モデルを複製することができる．実際，グーグルのBERTやオープンAIのGPT-3（ただし，利用できるのはオープンAIに許可された者に限られる）など，公開されている大規模言語モデルは少なくない．

この講では，次の2節でそれぞれGPTとBERTについて説明する．GPTには，GPT，GPT-2，GPT-3，GPT-3.5，GPT-4のバージョンがある．ChatGPTはGPT-3.5をベースにしてつくられた．大規模言語モデルGPT-3.5からChatGPTをどのようにつくるかが，第10講のテーマとなる．なお，ChatGPTは大規模言語モデルGPT-4をベースとしたものにバージョンアップされている．

大規模言語モデルの詳しい説明に入る前に，大雑把な規模感をつかんでおこう．わかりやすいのは，開発コストである．しかし，これは論文などにはあまり出てくることはなく，会社のCEOなどがイベントなどで話すこともあるという程度である．オープンAIのCEOサミュエル・アルトマン（Samuel Altman）は，GPT-4の開発コストは1億ドル以上と語っている．また，ChatGPTと同じような大規模言語モデルGeminiを開発中のグーグル・ディープマインドのCEOのハサビスは開発コストは数千万ドルから数億ドルと言っている（注15）．

次の9.2節と9.3節では，それぞれ大規模言語モデルGPTとBERTについて説明する．これらのモデルのパラメータ数やトレーニングデータのサイズについても簡単に説明しておく．

トレーニングデータのサイズは，単語数で示したり，トークン数で表したりする．ここで，**トークン**（token）とは，プログラムがテキストなどを処理するときの処理単位となるかたまりのことである．普通は，トークンは1つの単語に相当するが，一般に，文を処理するための特殊な記号も加えられる．9.4節では，画像認識するトランスフォーマーについて説明するが，この場合のトークンは特殊で，画像を決められたサイズの正方形に分割したものである．この場合のトークンはパッチと呼ばれる．

大規模言語モデルGPTの4つのバージョンについて，パラメータ（重み）の個数は次の通りである．

GPT：1.17億，GPT-2：15億

GPT-3：1750億，GPT-4：未公表

なお，GPT-2とGPT-3のトレーニングデータのサイズをトークン数で示す．

GPT-2：100億，GPT-3：4200億

次に，大規模言語モデルBERTについて，同様のデータをあげておく．BERTには，BERT-baseとBERT-largeがあり，それぞれのパラメータ数は以下の通りである．

BERT-base：1.1億，BERT-large：3.4億

また，インターネットや本から収集されたトレーニングデータの単語の総数は33億個に及ぶ．いずれにしても，大規模言語モデルのサイズ，その事前学習のデータ量は想像を絶するほどの大きさである．

ところで，グーグルの大規模言語モデルの開発に関連してハサビスのGeminiに関する発言を取り上げたが，このGeminiは2023年の秋には完成予定と言われている．世界に衝撃を与えたChatGPTの2022年11月の公開から，1年程度の遅れで，それに対抗するGeminiを完成させようとしている．この裏には，グーグル内に目まぐるしい動きがあった．その一端を紹介したい．

2022年12月21日，ニューヨークタイムズ紙は次のようなセンセーショナルなタイトルの記事を掲載した．

A New Chat Bot Is a ‘Code Red’
for Google’s Search Business.

この“A New Chat Bot”はこの記事の1か月前に公開されたChatGPTのことである．ChatGPTはグーグルの検索ビジネスを脅かすコードレッド（code red，緊急事態）と書いている．

グーグルは，インターネット広告を収益化するモデルにより，収益の8割を稼いでいる巨大IT企業である．そのため，インターネット検索に大きな変革を与えかねないChatGPTの出現はたいへんな脅威である．この緊急事態に対するグーグルの動きは速かった．2023年4月にAIの研究・開発の体制を再編し，それまでグーグル傘下にあったディープマインドをグーグル・リサーチのブレインと統合し，新しい研究組織グーグル・ディープマインドを発足させた．先に紹介したのは，この新しい組織のトップとなったハサビスの Gemini の開発についての発言であった．ハサビスは Gemini について，第 7 講で説明したアルファ碁で用いた決定木や強化学習を組み込んだ強力なものになると語っている．しかし，オープン AI にはないグーグルの本当の強みは，Google Search，YouTube，Google Books などの自社のサービスで収集した独自の膨大なデータの蓄積であろう．このようなこともあり，Gemini のトレーニングデータの量は GPT-4 のそれの 2 倍に及ぶのではないかと言われている．

ChatGPT の脅威に対して，グーグルはこれまでに収集した巨大データのアドバンテージと研究開発の世界トップレベルの人材の布陣でこのまま突き進んでいくのだろうか．ただ，グーグルの事業の収益の大部分がインターネット広告であることからくる制約もある．ChatGPT は，プロンプトを送るとインターネットの無尽蔵とも言える情報から適切なものを抽出して，コンパクトにまとめたレスポンスにして送り返してくる．一方，グーグル探索では，キーワードで探索し，その探索結果から，望みの内容にたどり着くまで再度探索することを，繰り返す．この違いは，インターネット広告事業にとっては大きい．利用者にとって便利なもののほうが，広告収益は下がるということもあり得るからだ．グーグルは綿密に検討したうえで事業展開を図るものと思われる．

さて，この本でこれまで説明してきた学習のトレーニングデータを振り返ってみよう．画像認識では，人手でラベル付けされた画像データベースImageNetが使われた．また，アルファ碁では，囲碁プログラム同士の対戦の履歴がトレーニングデータであった．

トレーニングデータのつくり方については，画像認識の場合は，人手でラベル付けする必要があったのに対し，アルファ碁の場合は，囲碁プログラムに自己対戦させておけば，自動的に得られた．事前学習の場合は，これら2例に比べてはるかに大量のデータが必要となるため，人手なしに自動的に得られるものでなければならない．

次に，学習のタイプについて考えてみよう．画像認識の場合は，教師あり学習であり，アルファ碁の場合は，強化学習である．大規模言語モデルの学習のタイプは，これらのどちらのタイプでもなく，**自己学習**と呼ばれるものである．学習のためのトレーニングデータを自分自身でつくるため，このように呼ばれる．いったんトレーニングデータをつくった後は，そのトレーニングデータを教師の出すデータとみなして重み更新するので，実質的には教師あり学習とみなしてよい．

大規模言語モデルのトレーニングデータは人手を介さずに自動的につくる．まず，インターネットや本から大量のテキストデータを収集する．トレーニングデータは，大規模言語モデルに解かせる問題と捉えるとわかりやすい．画像認識のとき，入力の画像データを v と表し，そのラベルを $f(v)$ と表した．この入力 v と答え $f(v)$ のペア $(v, f(v))$ を，問題とみなすことにしよう．次の単語を予測する問題の場合は，予測する単語までの部分（単語の系列）を v とし，予測する単語を $f(v)$ として，予測の問題を捉えることにする．これを，さらに一般化する．一般化した問題とは，文からランダムにいくつか単語を選び，選んだ単語を隠し，それを当てるという問題である．単語を隠すということを，その単語を特別の記号［MASK］で置き換えることとする．一般化した問題のペア $(v, f(v))$ では，$f(v)$ は元の文であり，v は元の文からランダムに選んだいくつかの単語を［MASK］で置き換えたものである．これは，［MASK］の穴をもともとそこにあった単語で埋める問題なので，**穴埋め問題**と呼ぶ．

大規模言語モデルごとに，解かせる問題が異なり，そのためトレーニングで得られる言語モデルも違ったものとなる．問題が決まれば，言語モデルに v を入力し，$f(v)$ を出力するように，勾配降下法により重み更新する．これが大規模言語モデルの自己学習の基本である．次節以降で，具体的な大規模言語モデルを説明するが，その前に，自己学習により大規模言語モデルのニューラルネットワークは何を獲得するのかについて，これまでの例を振り返りながらイメージをつかんでおくことにする．

はじめに取り上げるのは，5.2節のオートエンコーダーである．これは，この節の図5.2のニューラルネットワークを，入力 v をそのまま $f(v)$ として出力するように（$f(v)=v$），トレーニングして得られたものであった．オートエンコーダーの働きのポイントは，入力 v の画像のエッセンスを中央のボトルネック部分に圧縮することである．その圧縮された情報を $B(v)$ と表すことにする．このように，ボトルネック部分に入力 v のエッセンスを圧縮して蓄えているため，その結果として，オートエンコーダーは画像のノイズを除去する働きを持っていることもわかった．このエンコーダーの学習は，大規模言語モデルに比べたら，比べ物にならないくらい，小規模のものではあるが，学習によるニューラルネットワークの変化はとてもわかりやすいものだ．

学習により，ボトルネック部分にエッセンシャルな情報が集まり，これによって画像のノイズ除去もできるようになる．

もう一つの例は，6.3 節の図 6.11 の畳み込みニューラルネットワークである．このネットワークの場合は，オートエンコーダーのボトルネック部分に相当するものは s_4 の層となる．フィーチャーマップをつくることを繰り返し，この部分に入力の情報のエッセンシャルな情報が圧縮される．オートエンコーダーのデコーダー部分や畳み込みニューラルネットワークの f_5 や f_6 の層は，圧縮したエッセンシャルな情報を出力に変換するところである．大規模言語モデルの学習に対応させると，これらの部分の学習は調整学習に相当する．どちらの例も，エッセンシャルな情報に言わば“煮詰める”のは事前学習に対応し，エッセンシャルな情報を望みの出力の形に変換するのは調整学習に対応する．

以上が 9.1 節の原稿として取りまとめたものであるが，校正の段階で Gemini についてニュースが入ってきた．2023 年 12 月 6 日の，グーグルが AI チャットボットの Band に Gemini を導入するというニュースである．このニュースによると，基盤モデル Gemini は，テキストデータだけでなく，コードや音声，動画なども同時に認識するという特徴があり，GPT-4 など，これまでのすべての AI モデルを越える性能があるとしている．将来的な構想として公開されたデモでは，紙に鳥の絵を描く様子を動画で示すと，「鳥にみえます」と音声で答えるという（2023 年 12 月 7 日，朝日新聞）．

9.2 GPT

この節では，オープン AI の大規模言語モデル GPT（Generative Pretrained Transformer）を，次の節では，グーグルの大規模言語モデル BERT（Bidirectional Encoder Representations from Transformers）を説明する．どちらの言語モデルも第 8 講のトランスフォーマーの一部を切り取って構成されるニューラルネットワークである．具体的には，GPT はデコーダー部分を用い，BERT はエンコーダー部分を使う．大規模言語モデル GPT を理解するうえで，第 8 講のすべてを見返す必要はないが，トランスフォーマーの動作の流れを表す8.6節の図8.9は振り返っておこう．GPTは，文の単語を一つずつ出力するニューラルネットワークである．ただし，一つの単語を予測するのに，その単語の前の単語までの情報は利用したうえで予測する．異なる2言語間の翻訳ではないので，図8.9のデコーダーからの情報を運ぶラインは必要なくなる．そのため，GPTではトランスフォーマーのデコーダー部分だけを切り取ってつくればいいことになる．なお，GPTでも，一つの単語を予測するのに，その単語を含め，それより右の単語は見られないという，トランスフォーマーの制約はそのままである．

前節で説明したように，次の単語を予測する問題の場合は，トレーニングデータのペア $(v, f(v))$ は，$f(v)$ は予測する単語とし，v はその単語の前の単語までの部分（単語の系列）となる．その上で，$f(v)$ を文中の単語の上を動かして，ペアのセット $\{(v, f(v))\}$ をつくり，このデータでトレーニングしたものが大規模言語モデルGPTである．

9.3 BERT

大規模言語モデルBERTは，トランスフォーマーのエンコーダー部分を切り取ってつくられる．BERTについて，2つのタイプのトレーニングについて説明する．タイプ1は単語を単位としたトレーニングであり，タイプ2は文を単位としたトレーニングである．図9.1は，タイ

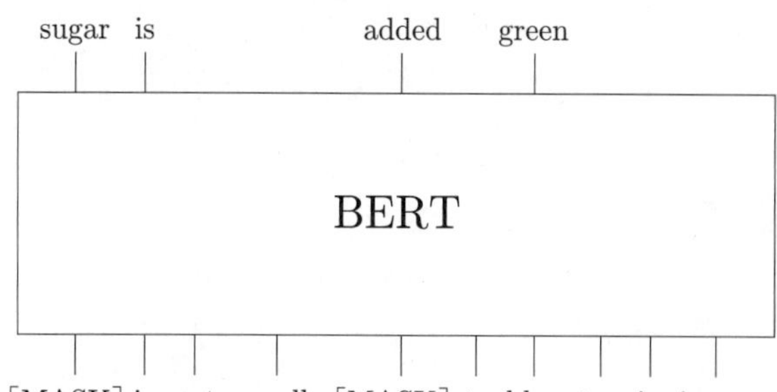

図 9.1 単語を単位としたトレーニングの例

プ1の単語を単位としたトレーニングで用いられる入力と出力のペアの例を示したものである．この例の入力は，次の文からつくってみる．

suger is not usually added to green tea in japan

図 9.1 の入力は，この文を次のように変換してつくる．この例の入力は，文の単語を［MASK］で置き換え，別の単語で置き換えた文である．正確に言うと，文の 15% の単語をランダムに選び，選んだ 15% の単語に対して，次の A, B, C の置き換えをする．

A： 80% を記号［MASK］で置き換える．

B： 10% をランダムに選んだ他の単語に置き換える．

C： 10% を置き換えない．

図 9.1 では，A, B, C のどれに分類されたかを示した．

次に，文を単位とするタイプ2に進む．これは，文章

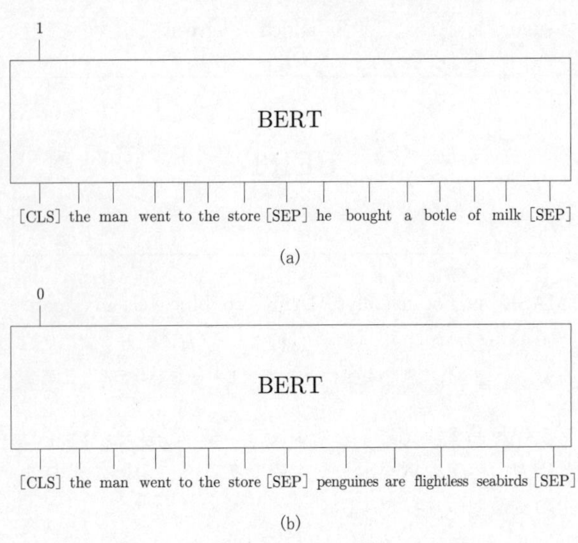

図9.2 文を単位としたトレーニングの例

中で次に現れる文を予測するための学習である．このためのトレーニングデータは，コーパスから連続する二文（IsNextSentence）をランダムに取り出すか，二文ともランダムに選ぶ（NotNextSentence）かしてつくる．この学習のための例を図9.2に示す．[CLS] と [SEP] はBERTで使われる特別のトークンを表し，[CLS] は最初に置かれるトークンで，[SEP] は文を区切るためのトークンである．IsNextSentenceのとき1を出力し，NotNextSentenceのとき0を出力するようにする．

GPTでは，文中の一つの単語を予測するのに，その単語より左にある単語の情報を使う．したがって，トレーニング中の情報の流れは左から右への一方向である．一方，BERTはトランスフォーマーのエンコーダー部分を使うので，情報の流れは双方向である．そのため，タイプ1の単語を単位とした学習であれ，タイプ2の文を単位とした学習であれ，BERTはコーパスの文を深く理解するようになる．その結果，コーパスの文を入力したとき，ニューラルネットワークの出力に近い層にその文のエッセンシャルな情報が現れるようになる．そのため，事前学習の後に，さらに調整学習を追加すると，BERTはさまざまなタスクをこなすようになる．その中から**センティメントアナリシス**（sentiment analysis，感情分析）を取りあげる．

顧客満足度を計測することは，インターネットを利用したビジネスでは欠かすことができない．このような背景もあって，センティメントアナリシスは活発に研究されるテーマである．センティメントアナリシスとは，文章に含まれている感情を読み取ることである．読み取る感情は複雑なものではなく，ポジティブかネガティブかで，場合によっては，ニュートラルを含めることもある．センティメントアナリシスは，本来は簡単なものではない．商品などのレビューの文章の意味を理解した上で，書き手の感情まで推しはかる必要があるからである．しかし，読み取る感情の種類をあらかじめ限定することにすると，単に文章に感情のラベルを付けるだけのタスクになる．そのうえ，事前学習した BERT を利用できるのであれば，後はこのタスクに向けた調整学習をすればよいことになる．事前学習のトレーニングデータと比べたら，はるかに少ないトレーニングデータを使い調整学習するだけで，質の高いセンティメントアナリシスができるようになる．たとえば，映画レビューに特化したセンティメントアナリシスでは，映画レビューのデータベース IMDb（Internet Movie Database）がある．これは，映画レビューのテキストにポジティブかネガティブかのラベルの付いたデータベースである．この場合，調整学習とは，このデータベースを教師用にデータとして用い，教師あり学習をすることである．

9.4 ビジョントランスフォーマー

人工知能研究を大きく変革した 2017 年のトランスフォーマーの論文は，従来の性能を超える機械翻訳を実現したものであった．それ以来，トランスフォーマーの計算の仕組みのもつポテンシャルは，大規模言語モデルや生成 AI を生み出すまでになった．これらが扱うものは，いずれもテキスト，すなわち単語の系列に限定されていた．しかし，2020 年にトランスフォーマーは画像をも扱えることが示され，画像を処理するトランスフォーマーは**ビジョントランスフォーマー**と呼ばれ，これが新しい分野を築くまでになった．

ビジョントランスフォーマーの動作の仕組みはとてもシンプルだ．画像をピクセル（画素）を単位にして 16×16 のパッチに分割して，各パッチを数値のベクトルとして表し，これをトランスフォーマーのワードエンベーディングに対応させた上で，トランスフォーマーのエンコーディング部分を切り取ったもので画像認識する．これがビジョントランスフォーマーの基本だ．各パッチを数値ベクトルとして表したものを**パッチエンベーディング**と呼ぶ．例として図 9.3 を示す．この図は，画像を 9 個のパッチに分割し，9 個のパッチエンベーディングをつくる過程を表したものである．パッチエンベーディングは，第 4 講の図 4.5 に示すように，画像を横に伸びる行ごとに切り離し，それをつないでつくる．

パッチのサイズの決め方がポイントとなる．一つの極端な例として 1×1 のサイズ，つまり，画像のピクセルをパッチとする場合について考えてみる．画像のサイズはピクセル（画素）を単位として，256×256 としよう．この場合は，256×256 個のパッチ（実際は，ピクセル）のすべてのペアの間でドットプロダクトの演算が必要となる．その演算の数 $(256 \times 256)^2$ は約 42.9 億となり，計算コストの点から現実的なものではなくなる．パッチのサイズを 1×1 にはできない別の根本的な理由もある．トランスフォーマーのセルフアテンションでは，2 つのワードエンベーディングの近さ（類似度）をドットプロダクトの演算で計算して，近いワードエンベーディング間では上乗せする

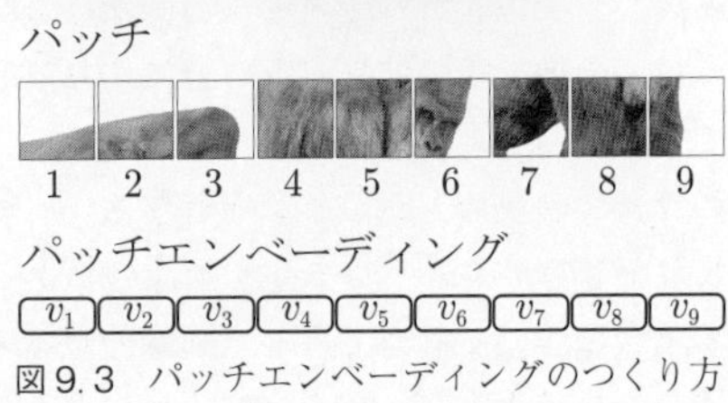

図9.3　パッチエンベーディングのつくり方

割合も大きくするということがポイントとなる．この原理を画像の場合に適用しようとしても，サイズ1×1のパッチでは，ドットプロダクトの演算結果がパッチのパタンの近い遠いを表すものとはならない．そのため，パッチのサイズが1×1のときはこの原理を適用することはできない．

図9.4に，ビジョントランスフォーマーの構成のあら

ましを示す．画像はサイズが 16×16 の9個のパッチに分割して，9個のパッチエンベーディングとして入力している．これらのパッチエンベーディングに，まず，線形変換 W を施す．これらの W の要素（重み）はすべて共有する．また，パッチエンベーディングの先頭に $*$ で表されるトークンのエンベーディングを置く．これは，画像のカテゴリーの出力に対応する．また，このトークンとパッチエンベーディングにそれぞれ $0, 1, \ldots, 9$ のポジションエンベーディングを加えた後，トランスフォーマーからエンコーダー部分を切り取ったビジョントランスフォーマーに入力する．もちろん，トランスフォーマーにもともとあったポジションエンベーディングの注入は必要なくなる．出力ニューラルネットワークには，トークン $*$ に相当する出力が入る（$v_0 = *$）．この出力ニューラルネットワークは，6.3節の図6.11の（b）の分類の層の働きをするものである．出力されるのは，入力の画像が各カテゴリーに入ることの確からしさを確率分布として表したものである．ビジョントランスフォーマーは，画像とそのラベルのペアからなるトレーニングデータを用い，教師あり学習で勾配降下法によりトレーニングする．

図9.4のトランスフォーマーエンコーダーのボックスは，マルチヘッドアテンションまでを含めてトランスフォーマーの働きをする．セルフアテンションの動きを押さえておきさえすれば，ビジョントランスフォーマーの動作の基本はイメージできる．トランスフォーマーにとってワー

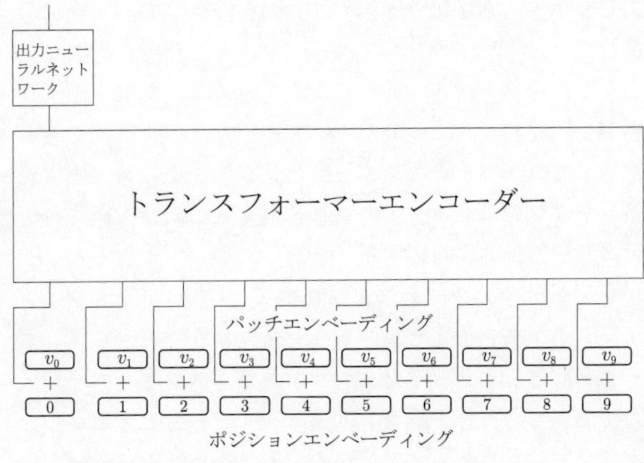

図9.4　ビジョントランスフォーマー

ドエンベーディングだろうが，パッチエンベーディングだろうが，入力されるのは数値を要素とするベクトル（図9.4の入力の10個のベクトルをつないだもの）である．どちらの場合も実行することは同じである．図9.4のボックスに入力されるのは，パッチエンベーディングにパッチの順番を表すポジションエンベーディングを加えたものである（要素ごとに加算）．先頭の0番は入力画像のラベルを出力するためのスペースを確保するためのトークンである．このように先頭にトークンを追加しておくことにより，このトークンにすべてのパッチからパッチエンベーディングがドットプロダクトの演算で求められる割合だけ上乗せされるようになる．画像 v とそのラベル $f(v)$ のペア

のセット $\{(v, f(v))\}$ をトレーニングデータとして教師あり学習をするので，いずれ入力 v の正しいラベル $f(v)$ を出力するようになる．

ビジョントランスフォーマーが現れるまでは，画像認識には畳み込みニューラルネットワークが最も適しており，広く使われ普及していた．これに後発のビジョントランスフォーマーが加わったというのが現在の状況である．そこで，計算の仕組みという観点から両者を比較してみよう．画像認識とは，画像 v が入力されたとき，そのラベル $f(v)$ を出力することである．両者とも入力画像 v のエッセンシャルな情報を“煮詰めて”取り出し，それを見れば出力 $f(v)$ が簡単に計算できるというものをつくる．ビジョントランスフォーマーの場合は，パッチエンベーディングの上乗せを繰り返して煮詰め，畳み込みニューラルネットワークの場合はフィーチャーマッピングによる情報の抽出を繰り返して煮詰める．この際，パッチエンベーディングを上乗せする量は，ドットプロダクトの演算で決まるので，パッチエンベーディングの中身に依存して決まるという意味でダイナミックである．一方，畳み込みニューラルネットワークの場合は，前段の層のどのニューロンの出力からフィーチャーマップをつくるかは，層間のラインの接続により固定されている．この違いが両者のパフォーマンスにどう影響を与えるかを分析することはむずかしい．しかし，このことが，ビジョントランスフォーマーの方がスケーラビリティ（scalability，規模を大きくできる能力）が高く，計算効率が良いことと関係している可能性がある．なお，ビジョントランスフォーマーは大規模言語モデルの場合と同様，事前学習と調整学習に分けてトレーニングされるが，このこともビジョントランスフォーマーのスケーラビリティを高めている．

第10講
生成AI

10.1　大規模言語モデルから生成AIへ

次の，文の単語の並びを

john painted the bench [?]

とし，[?]に入る単語を予測する．予測する単語を?で表し，各単語の生起確率を

$$P_\theta(? = \mathrm{brown}|h) = 0.2,$$
$$P_\theta(? = \mathrm{beige}|h) = 0.1,$$
$$P_\theta(? = \mathrm{red}|h) = 0.05,$$
$$P_\theta(? = \mathrm{because}|h) = 0.09,$$
$$P_\theta(? = \mathrm{with}|h) = 0.05$$

と計算する．ここに，$P_\theta(\cdot|h)$ の h は条件を表していて，この場合は，“? の前の単語の並びは，john painted the benchである”という条件を表している．$P_\theta(? = x|h)$ は，条件 h のもとで，? が x となる確率を表す．次の単語? として勝率の最も大きいbrownが選ばれたとする．このbrownを加えたものを新しい条件 h として，同じように次々と単語を生成していったところ，最後に選ばれたものが ⟨STOP⟩ であったとする．この ⟨STOP⟩ は特

別の記号で，ここで文が終わることを表すトークンである．

この講の議論では，言語モデルは，**プロンプト**（レスポンス要求）を入力すると，その**レスポンス**を出力するものととらえる．ChatGPTのQ&Aの場合，プロンプトはQであり，レスポンスはAである．ChatGPTのベースとなる言語モデルでは，条件hのトークンの個数は3000以下としている．英文の一文当たりの平均単語数は15から20と言われているので，条件hには150（$= \frac{3000}{20}$）文は並べられることになる．通常のレスポンスもこの長さにおさまる．

ChatGPTは学習により自然な応答ができるようになる．しかし，この学習のためには，“違和感を覚えない”とか“それらしい”とかの良さを定義する必要がある．しかし，この良さの評価は主観がかかわるためとてもむずかしい．そのため，ChatGPTでは，この評価を人間を介入させてやらせている．囲碁プログラムのバージョンアップでは，人間の介入を徹底的に排除することにより，超絶した強さを実現したが，ChatGPTは，この流れをまた逆転させた．

次節で説明するように，ChatGPTは“人間からのフィードバックを用いた強化学習”RLHF（Reinforcement Learning from Human Feedback）と呼ばれる方式で学習する．

このRLHFはわかりにくいところがあるので，まず，深海艇のたとえ話で，イメージをつかんでおこう．この深海艇を大規模言語モデルとし，この深海艇を強化学習して，最終的に ChatGPT として働くまでにする．深海艇は，外部からプロンプトを受け取り，ライトをコントロールして海底に横たわる無尽蔵ともいえる情報の中からライトに当たった箇所にあるものをレスポンスとして返す．しかし，初めはこのレスポンスはピントがぼけているので，その精度を上げる必要がある．それが深海艇を強化学習する目的である．その学習のために，深海艇は，外付けされたインディケーターを使えるようになっている．このインディケーターにプロンプトとレスポンスのペアを送ると，そのレスポンスの良さが評価されて数値として送り返される．

深海艇は大規模言語モデルであるので，どんなプロンプトに対してもレスポンスを返すことができるが，インディケーターの助けを借りて，やがては違和感のないレスポンスを返すようになる．深海艇を大規模言語モデルに置き換えて，この大規模言語モデルを人間から見て違和感のないレスポンスを返すように強化学習する，これが次節で説明する RLHF の働きの大筋である．

10.2 ChatGPT を誕生させた RLHF

RLHF は，1 つの言語モデルが与えられていることを前提にして，この言語モデルをプロンプトに対して“良い”レスポンスを返す言語モデルとなるように強化学習する計算の手順である．

RLHFはアルファ碁と同様に強化学習でトレーニングする．そのためRLHFでもアルファ碁で用いた用語と同じものを使う．囲碁の一手は**アクション**と呼び，m通りのアクション$a_1, \cdots, a_m$があるとき，各アクションを選ぶ確率分布$\begin{pmatrix} a_1 \cdots a_m \\ p_1 \cdots p_m \end{pmatrix}$を**ポリシー**と呼んだ．言語モデルの場合は，アクションは一つのトークンを選ぶことであり，$a_1, \cdots, a_m$の各トークンを選ぶ確率分布$\begin{pmatrix} a_1 \cdots a_m \\ p_1 \cdots p_m \end{pmatrix}$がポリシーである．前節では，“john painted the bench ?”まで進んだ段階で次に現れる単語の確率分布として

$$\begin{pmatrix} \text{brown} & \text{beige} & \text{red} & \text{because} & \text{with} & \cdots \\ 0.2 & 0.1 & 0.05 & 0.09 & 0.05 & \end{pmatrix}$$

を取りあげた．そして，この時点で，確率が最も大きいbrownを返すとし，これを繰り返して文を生成すると説明した．一方，この節では，ポリシーに基づいて単語を次々に生成させ，その結果として，言語モデルをプロンプトに対してレスポンスを返すものとしてとらえることにする．

次に，RLHFの動作の流れをまとめておく．前節の深海艇のたとえ話と対応させると，1のリワードモデルはインディケーターであり，2の言語モデルは深海艇である．RLHFは，前提として，初めに言語モデルが与えられているとし，その言語モデルを1のリワードモデルの助けを借り，2で強化学習するものである．

RLHF の動作の流れ：

1 リワードモデルをつくる．

2 1のリワードモデルを用い，言語モデルを強化学習する．

次に，この RLHF の動作の流れに沿って，詳しく説明する．1のリワードモデルは教師あり学習でトレーニングし，2の言語モデルは，そのリワードモデルを用いながら，強化学習でトレーニングする．リワードモデルとは，プロンプトとレスポンスを入力し，プロンプトに対するそのレスポンスの良さを数値として出力するニューラルネットワークである．このレスポンスの良さは，主観によって決まるものであるから，そもそも定義できるものでもない．そのため，人間の評価に頼る．この評価をする人のことを**アノテイター**と呼ぶ．アノテイト（annotate，注釈をつける）する人だからであり，一定期間訓練をしてアノテイターとなるようになっている．

リワードモデルは，アノテイターの下した評価結果をトレーニングデータとして用いて，教師あり学習をするもので，プロンプトとレスポンスのペアを入力すると，良さを数値として出力するようになる．アノテイターに，プロンプトとレスポンスのペアを与え，そのレスポンスの良さを数値として評価してもらうというやり方もある．最も直接的な評価である．しかし，この方法だとデータの信頼性が保証できない．実際には，アノテイターには，プロンプトとレスポンスのペア (x, y_A) と (x, y_B) を与えたうえで，どちらが良いかを評価してもらう．プロンプト x は共通しているので，このプロンプトに対するレスポンスとして y_A と y_B のどちらが良いかの評価となる．このような比較の評価にすると，ペア (x, y) の良さを絶対値として数値で評価してもらうのに比べ，評価の信頼性は格段に高くなる．ここがポイントである．

リワードモデルのネットワークを N_θ で表し，これに (x, y_A, y_B) を入力すると，$N_\theta(x, y_A)$ と $N_\theta(x, y_B)$ を出力するとする．この出力が，それぞれ入力のプロンプトとレスポンスのペアの良さを数値として表したものとなるように，アノテイターの評価結果に基づいて学習する．これがリワードモデル（reward model）の学習である．この呼び名は少しわかりにくいかもしれないが，RLHF で使われている用語なのでそのまま用いている．ペア (x, y) の良さを評価するのに，アノテイターの評価を用いるので，リワードモデルの学習のタイプは教師あり学習である．

このリワードモデルの学習では，アノテイターの評価に基づいて誤差関数を定義し，誤差を減少させるように N_θ の重み θ を勾配降下法により更新する．アノテイターがペアを比較して (x, y_A) は (x, y_B) より良いと評価したとし，この評価を $(x, y_A) > (x, y_B)$ と表すことにする．このとき，リワードモデルの出力は $N_\theta(x, y_A) > N_\theta(x, y_B)$ となってほしい．この場合は，この期待を裏切る度合い $N_\theta(x, y_B) - N_\theta(x, y_A)$ を誤差とする．リワードモデル

の評価が $N_\theta(x, y_A) < N_\theta(x, y_B)$ の場合は，$N_\theta(x, y_A)$ と $N_\theta(x, y_B)$ を交換すれば，同じ議論となる．実際には，ここで定義した誤差より複雑な定義式を使うが，ここでは省略する．

このリワードモデルの学習で注意したいのは，アノテイターの比較の評価という相対的な評価を使って，ペア (x, y) の良さを表す数値という，言わば絶対的な評価値を出力しているという事実である．このように，相対的評価から絶対的な評価が得られるのは，リワードモデルとしてのニューラルネットワークのポテンシャルの高さによる．

リワードモデルの実際の学習では，一つのプロンプトに対して k 個のレスポンスをつくり，アノテイターには k 個のペア $(x, y_1), \ldots, (x, y_k)$ を良さに従って順番に並べてもらう．ここに，$k = 4$，あるいは，$k = 6$ とする．すると，たとえば，$k = 4$ のときは，1回並べてもらうと $\binom{4}{2} = 6$ 回の比較評価をしてもらったことになり，効率よくデータを収集できる．

次に，RLHF の2の言語モデルの強化学習に進む．RLHF の強化学習には，前提とした一つの言語モデルとそれの重み更新を繰り返してできた言語モデルの二つの言語モデルがある．RLHF の強化学習では，言語モデルを入力のプロンプト x に対して出力のレスポンス y を返すものとみなしたうえで，誤差関数の代わりにリワード関数（reward function）に基づいて重み更新を行う．ただ，誤差関数が誤りの程度を表すのに対し，リワード関数はご褒美の程度を表す．そのため，誤差関数の場合は，誤差関数のカーブに接する接線の傾きに沿って降下するのに対し，リワード関数の場合は，接線の傾きに沿って上昇する．そのため，リワード関数に基づいた重み更新は，勾配降下法の代わりに**勾配上昇法**と呼ばれる．降下でも上昇でも原理は同じである．

重み更新する言語モデルが入力のプロンプト x に対して，レスポンス y を出力するとする．1のリワードモデルは，このときペア (x, y) の良さの評価値 $r_\theta(x, y)$ を出力する．2の言語モデルの重み更新で，リワード関数を $r_\theta(x, y)$ と定義して，重み更新すると，予期しないことが起こることがわかってきた．意味のない（あるいは，誤った）レスポンスを出力しながら，リワードモデルを騙して，リワードモデルに高い評価を出させることだけを目指してレスポンスを返すようになるという現象である．**ハルシネーション**（hallucination，幻覚）と呼ばれる現象だ．この現象が起こらないようにするために，リワード関数として，リワードモデルの評価値だけではなく，前提とした言語モデルからポリシーがズレることに対してペナルティを課して，変更を抑制するようにする．そのために，前提とした言語モデル LM_{init} のポリシーと2の言語モデル LM_{tuned} の違いを評価する $diff(LM_{\mathrm{init}}, LM_{\mathrm{tuned}})$ を導入する．そして，リワード関数を

$$r_\theta(x, y) - \lambda \cdot diff(LM_{\mathrm{init}}, LM_{\mathrm{tuned}})$$

と定義する．ここに，$\lambda > 0$ とする．ポリシーの変更を抑えつつ，リワードモデルには高い評価を出力させるという両狙いの定義である．この $diff(LM_{\mathrm{init}}, LM_{\mathrm{tuned}})$ は二つの確率分布の違いを表すKLダイバージェンス（KL-divergence）と呼ばれるものである（注10）．

10.3 ハルシネーション

ChatGPTの知識の豊富さやすぐ返ってくるレスポンスの良さには驚くべきものがある．しかし，一方で，ChatGPTには深刻な欠陥もある．前節で説明した，もっともらしい内容ではあるが，間違ったレスポンスを返してしまうという現象である．ハルシネーションが深刻な欠陥ととらえられるのは，これが現在の生成AIにともなう根本的な欠陥だからだ．しかし，ChatGPTの側からすると，何か問題のある動作をしたわけではなく，いわば通常運転をしているだけである．このことが，ハルシネーションの深刻さを表しているとも言える．

ハルシネーションを識者はどうとらえているかを見てみよう．まず，ハルシネーションは起こらないようにすることができるという立場から，ChatGPTの開発に関わっているオープンAIのチーフサイエンティストのサツケヴァー（Ilya Sutskever）は

> I'm quite hopeful that by simply improving this subsequent reinforcement learning from the human feedback step, we can teach it to not hal-

lucinate,

と言っている．RLHFを強化学習し続けることによって，ハルシネーションは次第に減少していくという主張である．一方，ルカンはサツケヴァーとは反対の立場で次のように主張する（IEEE Spectrum, April 19, 2023）．

Those systems generate text that sounds fine, grammatically, semantically, but they don't really have some sort of objective other than just satisfying statistical consistency with the prompt,

ハルシネーションに関するこのような対立が決着をみるには，時間が必要なのかもしれない．ところで，AI研究は実学という側面を持つ．画像認識における一般化ミステリーはいまだに解明されていないにもかかわらず，ディープラーニングは人工知能開発に欠かすことのできない基盤技術として確立している．生成AIを開発するオープンAI（ChatGPT），マイクロソフト（Bing），グーグル（Bard，Gemini）には，これを回避する技術開発を進めてもらいたい．生成AIが間違ったメッセージを返す現象についての議論を突き詰めることにより，これからの人工知能研究の進むべき方向について，なんらかのヒントが見つかるかもしれない．

10.4 人工知能研究のこれから

人工知能研究はパラダイムシフトにより目をみはる発展を成し遂げた．発展したのは，3.1節のカーネマンの分類によるシステム1の領域である．システム1の働き方には特徴がある．人間は，イヌとネコをいとも簡単に識別するが，識別のポイントを言葉で説明することはできない．一日も練習すれば，子供は自転車に乗れるようになる．しかし，なぜ倒れないで進めるようになったのかを説明することはできない．「傾いた方向にハンドルを切り，遠心力を働かせて立て直す」という理屈がわかって，乗れるようになるわけではない．このようなシステム1のタスクは，人工知能が得意とするものが多いことがわかった．

人工知能研究のパラダイムシフトは，脳のニューロンのネットワークを模したニューラルネットワークをベースにしたディープラーニングの成功によってスタートした．その原点に戻り，現代のAIでは到達していないが，人間が何の苦労もなく日常的に行っていることに思いを巡らせてみよう．喫茶店でコーヒーを楽しんでいるとき，急いで店に入ってきた客がぬれた傘をもっていたら，無意識のうちに外は雨と思う．このとき，「ぬれた傘 → 外は雨」と推論している．5.3節で説明した，重力を学習する赤ん坊のことを考えてみよう．この赤ん坊は，下から支えがあると落ちないが，無いと落ちるということが織り込まれたモデルを身につけている．

車の運転でも同じようなことがある．山岳道路を運転していて，急に視界が開けガードレールが現れてきたとしよう．すると，外は切り立った崖になっていると推測し，運転は慎重になる．同じように，小学校の下校のチャイムが鳴り，門から小学生が出てくる場面でも運転は慎重になる．いずれの例でも，外界で起こることを支配するルールの理解がカギになる．喫茶店の例の「ぬれた傘 → 外は雨」の推論からもわかるように，これらは，サブシンボリックAIではなく，シンボリックAIのテーマとなる．赤ん坊が9か月間の観察だけで重力を学習することからわかるように，人間は外界を支配するルールも経験を通して学習している．しかし，人工知能にとって，これはむずかしい．

ところで，自動車の自動運転の研究は，人工知能研究と同じ1950年代に始まり，長い研究の歴史がある．米カリフォルニア州当局は2023年8月10日，グーグル傘下ウェイモとゼネラル・モーターズ傘下のクルーズ2社にサンフランシスコ市内の自動運転による「完全無人タクシー」の24時間営業を認めた．全米の主要都市の中で坂が多く，霧などで天候も悪いサンフランシスコは自動運転の実験場となっている．記事（2023年8月12日，朝日新聞）には，記者がスマートフォンのアプリを利用して，目的地を入力すると，7分ほどで運転手のいない車が来たという，体験記が掲載されている．営業がようやく開始されたといっても，時速は約32キロということなので，まだまだ課題が残っている．車の自動運転には，これほどまでに長い時間がかかり，決め手と言えるものが現れないのはなぜだろうか．これは，外界をモデル化することのむずかしさを表しているように思う．このタイプの学習の必要性は，昔から指摘されていた．**常識の学習**と呼ばれる学習である．

第2次AIブームでは，エキスパートシステムに焦点が当てられ，専門家（エキスパート）の知識をルール化したシステムがつくられたが，現在使われているものは存在しない．ルールを人手で決めていたからである．そうではなくて，ルール，または，外界を説明するモデル自体を学習するAIをつくることはできるのであろうか．

人工知能研究が始まった頃，人間は知能という尺度では絶対的なポジションにあった．そのため，人工知能プログラムを人間が書くというのは自然な流れであった．そして，この流れは人工知能研究のメインストリームとなった．一方，知能の存在証明たる脳そのものをベースにするというのが，ニューラルネットワークを計算モデルとするもう一つの流れである．この流れは第3次AIブームで初めてメインストリームに躍り出た．これからの人工知能研究で越えがたい壁に直面するとき，再度人間に学ぶということが必要となるように思われる．

巻末注

1. 自転車の修理のたとえ話は，下記の本の 13 ページより引用している．

Marvin Minsky（安西 祐一郎 訳），心の社会，産業図書，1990.

2. 解のルートのパスは格子面を通る．そのため，隅では通り方が一通りに決まり，さらに，その先の通り方に制約を課すということが，繰り返される．図 S. 1 は，このようにして，解のルートの一部が少しずつ付け加えられていく様子を表したものである．新しく付け加えられたときだけ，その部分をグレーのラインとして表して，他と区別できるようにしている．このように，必然の一部を付け加えていくと，最後は全体が解のルートとなるので，このパズルの解はこのルートが唯一のものとなり，他にルートは存在しない．詳しくは次の論文を参照してもらいたい．

Shinsuke Seino，Kenji Kimura，Satoshi Kawamura，Yoshifumi Sasaki，Akira Maruoka，“Analyzing trajectories of learning processes through behaviour-based entropy，” *Journal of Experimental & Theoretical Artificial Intelligence*，Volume 32，2020.

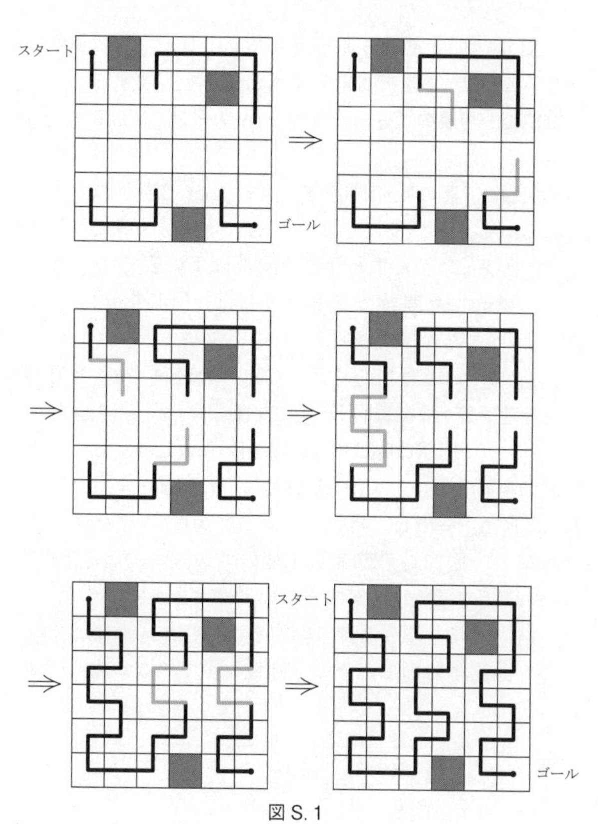

図 S. 1

3. XORは，1層のニューラルネットワークでは計算できないことと，2層では計算できることを説明する．

XORは，1層のニューラルネットワークでは計算できない：

XORは，下の表の関数$f_{\mathrm{XOR}}(x_1, x_2)$で表される関数である．これとは別にORと呼ばれる関数もある．それを$f_{\mathrm{OR}}(x_1, x_2)$と表すと，この関数は下の表で$f_{\mathrm{OR}}(1, 1) = 1$と変更した関数である（残りは，同じ指定）．このORは，“または”を意味し，$x_1 = 1$か$x_2 = 1$のとき，$f_{\mathrm{OR}}(x_1, x_2) = 1$と指定する．ORは**論理和**（or）と呼ばれる論理演算である．

これに対し，XORは**排他的論理和**（exclusive or）と呼ばれるものである．この排他的は，$(x_1, x_2) = (1, 1)$を，$f_{\mathrm{XOR}}(x_1, x_2) = 0$と“排他”することから付けられた名称である．以降では，XORは1個のニューロンでは計算できないことを示す．計算できないのは大まかに言えば，ニューロンは入力の重み付き総和$w_1x_1 + w_2x_2$に基づいて出力を計算するので，上の“排他”ができないからである．

x_1	x_2	$f_{\mathrm{XOR}}(x_1, x_2)$
1	1	0
1	0	1
0	1	1
0	0	0

1層のニューラルネットワークとは，具体的には，4.1節の（1）と（2）で出力を計算するニューロン1個からなるニューラルネットワーク $N_w(x_1, x_2)$ である．この $N_{(w_1, w_2)}(x_1, x_2)$ が1を出力するのは，

$$w_1x_1 + w_2x_2 \geqq \theta$$

が成立するときである．ここで，θ は閾値で，（1）の定数 b や（2）の関数 $\sigma(x)$ から決まる定数であり，w_1 と w_2 は重みである．

ここに，$w = (w_1, w_2)$ とする．この $N_w(x_1, x_2)$ が $f_{\mathrm{XOR}}(x_1, x_2)$ を計算すると仮定する．

すると，

$$f_{\mathrm{XOR}}(1, 1) = 0 \text{ より，} \quad w_1 + w_2 < \theta.$$

$$f_{\mathrm{XOR}}(1, 0) = 1 \text{ より，} \quad w_1 \geqq \theta.$$

$$f_{\mathrm{XOR}}(1, 0) = 1 \text{ より，} \quad w_2 \geqq \theta.$$

$$f_{\mathrm{XOR}}(0, 0) = 0 \text{ より，} \quad 0 < \theta.$$

これは矛盾である（$\theta > 0$ であるので，$w_1 \geqq \theta$，$w_2 \geqq \theta$ より，$w_1 + w_2 \geqq 2\theta \geqq \theta$）ので，$N_w(x_1, x_2)$ が $f_{\mathrm{XOR}}(x_1, x_2)$ を計算することはない．

XORは，2層のニューラルネットワークで計算できる：

話をわかり易くするために，入力の数値は $\{1, 0\}$ の代わりに $\{1, -1\}$ として，XORの関数を次の表で表す．

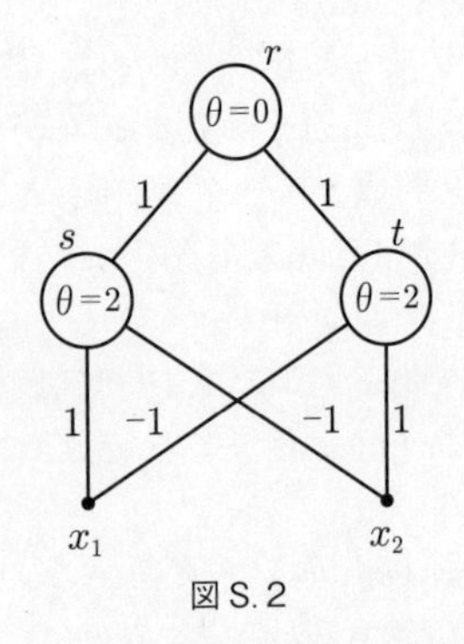

図 S. 2

x_1	x_2	$f_{\mathrm{XOR}}(x_1, x_2)$
1	1	−1
1	−1	1
−1	1	1
−1	−1	−1

図 S. 2 の 2 層のニューラルネットワークは，この関数関数 $f_{\mathrm{XOR}}(x_1, x_2)$ を計算する．ただし，各ニューロンは，(x_1, x_2) が入力されたとき，$w_1x_1+w_2x_2 \geqq \theta$ が成立すれば，1 を出力するとし，成立しなければ −1 を出力するとする．ただし，閾値 θ の値は各ニューロンに書き込んでいる．また，ライン上の値は重みである．たとえば，ニューロン s は，$1\times x_1+(-1)\times x_2 \geqq 2$ が成立するとき，1 を出力する．したがって，入力が $(x_1, x_2)=(1, -1)$ のときは，ニューロン s は，$1\times 1+(-1)\times(-1) \geqq \theta=2$ よ

り，1 を出力し，同じような理由で，ニューロン t は -1 を出力する．したがって，ニューロン r は，$1\times 1+1\times(-1)\geqq\theta=0$ より，1 を出力する．同じようにして，入力が $(-1,1)$ のときは 1 を出力し，入力が $(1,1)$ のときや，$(-1,-1)$ のときは，r は -1 を出力する．したがって，このニューラルネットワークは XOR を計算する．このように，$f_{\mathrm{XOR}}(x_1,x_2)=1$ となる入力 (x_1,x_2)（だけ）に対して，ニューロン s やニューロン t は 1 を出力し，ニューロン r はその出力に反応して，自身も 1 を出力するようになっている．

この 2 層ニューラルネットワークの構成法は一般化できる．一般化して，n の任意の関数 $f(x_1,\dots,x_n)$ に対して，その関数を計算する 2 層のニューラルネットワークをつくることができる．その方法は次のとおりである．まず，$f(x_1,\dots,x_n)=1$ となる各 $(x_1,\dots,x_n)$ に対して，これを入力したとき 1 を出力する，1 層のニューロンをつくる．たとえば，$f(1,-1,-1,1,1)=1$ としよう．この場合は，重みが $(w_1,w_2,w_3,w_4,w_5)=(1,-1,-1,1,1)$ のニューロンを一つだけ 1 層のニューロンとしてつくる．すると，$(x_1,x_2,x_3,x_4,x_5)=(1,-1,-1,1,1)$ が入力されたとき，$w_1x_1+w_2x_2+w_3x_3+w_4x_4+w_5x_5=5$ となるので，このニューロンは，閾値を $\theta=5$ としておくと，1 を出力することになる．重み (w_1,w_2,w_3,w_4,w_5) が $(1,-1,-1,1,1)$ と設定されるのは，このニューロンだけなので，1 を出力するのもこのニューロンだけである．$f(x_1, ..., x_n) = 1$ となるすべての $(x_1, ..., x_n)$ に対してこのようなニューロンをつくり，$f_{\mathrm{XOR}}(x_1, x_2)$ を計算する2層のニューラルネットワークと同じように，つくったすべてのニューロン出力を2層のニューロン r につなげてニューラルネットワークをつくる．これが任意の関数 $f(x_1, ..., x_n)$ を計算するニューラルネットワークの構成法である．

実際にトレーニングしてつくられるニューラルネットワークは，これまで説明していたようなタイプのものではない．しかし，任意の関数が，2層のニューラルネットワークで計算できるという事実が意味するところが大きい．というのは，このことから，4.1節で説明した（1）と（2）で出力を計算するニューロンから構成されるニューラルネットワークが万能と言えるからである．入力や出力が $\{1, -1\}$ の値となる，任意の関数を計算するという意味での，万能である．2層のニューラルネットワークが万能であるので，多層のニューラルネットワークは当然万能となる．したがって，重み更新を繰り返せば，いずれは目標の関数を計算するようになる．

第6講では，画像認識する実際のニューラルネットワークについて説明する．そこでも，入力は $\{1, 0\}$ ではなく，$\{1, -1\}$ としている．このほうがニューロンの働きを引き出すことができるからである．

最後に，$\{1, -1\}$ の場合でも，1層のニューラルネットワークはXORを計算できないことを証明する．証明は，1層のニューラルネットワークでXORが計算できると仮定して，矛盾を導びく（背理法）．$\{1, -1\}$の場合，XORの関数f_{XOR}は次の表のようになる．

x_1	x_2	$f_{\mathrm{XOR}}(x_1, x_2)$
1	1	−1
1	−1	1
−1	1	1
−1	−1	−1

これまでと同じように，1層のニューロンが1を出力するのは，$w_1x_1 + w_2x_2 \geqq \theta$が成立するときとする．すると，

$$f_{\mathrm{XOR}}(1,1) = -1 \text{ より，} \quad w_1 + w_2 < \theta, \tag{1}$$

$$f_{\mathrm{XOR}}(1,-1) = 1 \text{ より，} \quad w_1 - w_2 \geqq \theta, \tag{2}$$

$$f_{\mathrm{XOR}}(-1,1) = 1 \text{ より，} \quad -w_1 + w_2 \geqq \theta, \tag{3}$$

$$f_{\mathrm{XOR}}(-1,-1) = -1 \text{ より，} \quad -w_1 - w_2 < \theta. \tag{4}$$

(1) + (4) より，$0 < 2\theta$．一方，(2) + (3) より，$0 \geqq 2\theta$．$0 < 2\theta$よりθは正となり，$0 \geqq 2\theta$よりθは0以下となるので，これは矛盾である．したがって，$\{1, -1\}$のときも，XORは1層のニューラルネットワークでは計算できない．

4. ルカンらの次の論文は，畳み込みニューラルネットワークにバックプロパゲーションを適用することに初めて成功したものであり，第3次AIブームの本格的な幕開け

を告げたものでもある.

Yann LeCun, Leon Bottou, Yoshua Bengio and Patrick Haffner, Gradient-Based Learning Applied to Document Recognition, *Proceeding of the IEEE* 86 (11), 1998.

5. s_2 の 6 枚のフィーチャーマップからどのように抜き出して c_3 のフィーチャーマップをつくるかについては, 注 4 のルカンらの論文の表 2 で説明されている.

6. シグモイド関数を $f(x)=\dfrac{1}{1+e^{-x}}$ とおく. さらに, $u=g(x)=1+e^{-x}$ とおいておく. すると,

$$
\begin{aligned}
\frac{df}{dx} &= \frac{df}{du}\frac{du}{dx} \\
&= -u^{-2}(-e^{-x}) \\
&= \frac{e^{-x}}{u^2} \\
&= \frac{e^{-x}}{(1+e^{-x})^2} \\
&= \frac{e^{-x}}{1+e^{-x}}\frac{1}{1+e^{-x}} \\
&= \left(\frac{1+e^{-x}}{1+e^{-x}}-\frac{1}{1+e^{-x}}\right)\frac{1}{1+e^{-x}} \\
&= \left(1-\frac{1}{1+e^{-x}}\right)\frac{1}{1+e^{-x}} \\
&= (1-f(x))f(x).
\end{aligned}
$$

シグモイド関数 $\sigma(x)=\dfrac{1}{1+e^{-x}}$ を $f(x)$ とおいているので，

$$\frac{d\sigma(x)}{dx}=(1-\sigma(x))\sigma(x).$$

7.　7.2節の図7.2のような簡単なゲーム木の場合は，先手必勝か，後手必勝かのいずれかになることはわかる．しかし，それを一般化しても，成立するということはすぐにはわからない．そこで，一般化できることを証明する．ドミノ倒しを思い描くと，証明のイメージがつかみやすくなる．無限に広がる平面上に無限の長さにドミノを並べたとする．最初のドミノを指で倒すとドミノは途中で止まることなく，無限のかなたまで倒れ続けるということはイメージできる．証明は，このイメージに沿ったものである．この証明は，高校数学で習う**数学的帰納法**によるものである．

（命題の証明）まず，ゲームの進行は，ゲーム木で表されているとし，そのゲーム木のルートからリーフまでのパスはすべて同じ長さであり，プレーヤーは常に2通りの手のうちの一手を選ぶものとする．このようなタイプのゲーム木に限定してもよいことは簡単に確かめることができる．パスの長さが n のゲーム木について，命題が成立することを $P(n)$ と表す．

ベース（$P(1)$ が成立することの証明）：ゲーム木のリ

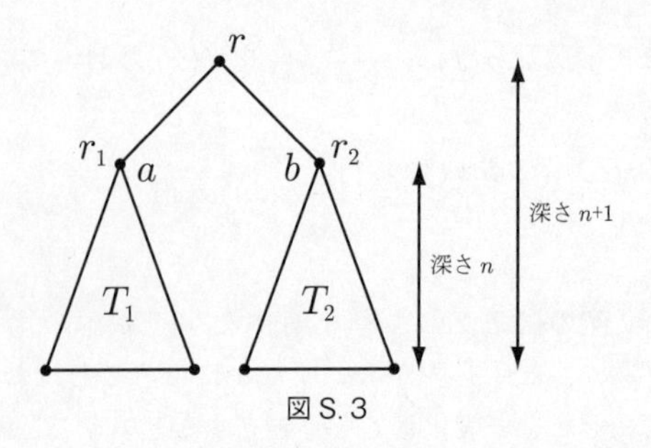

図 S. 3

ーフの勝敗のラベルを $(a, b) \in \{(1, 1), (1, -1), (-1, 1), (-1, -1)\}$ と表すとする．すると，(a, b) が $(-1, -1)$ のときは，後手必勝であり，(a, b) が $(1, 1)$，または，$(1, -1)$，または，$(-1, 1)$ のときは，先手必勝である．この場合，先手は，いずれの場合も，$a=1$，または，$b=1$ となる手を選べば勝つからである．なお，ドミノ倒しでは，$P(n)$ は，n 番目のドミノが倒れることに対応する．1 番目のドミノは指で倒すので，ドミノ倒しでも $P(1)$ は成立する．

帰納ステップ（「任意の n に対して，$P(n)$ が成立すると仮定すると，$P(n+1)$ も成立する」ことの証明）：ルートからリーフまでのパスの長さが $n+1$ のゲーム木 T を図 S. 3 のように表す．

この T は，ルート r から部分木 T_1 のルート r_1 と部分木 T_2 のルート r_2 に枝を伸ばして構成されるとする．$P(n)$ は成立するとする仮定より，T_1 も T_2 も先手必勝か，後手必勝かが決まってくる．そこで，r で手番のプレーヤー（先手）が，T_1 や T_2 に進んだ後必勝であれば，$a=1$ や $b=1$ とし，必ず負ける（後手必勝）のであれば $a=-1$ や $b=-1$ とする．ベースの場合と同じように，(a,b) が $(-1,-1)$ のときは，後手必勝であり，(a,b) が $(1,1)$，または，$(1,-1)$，または，$(-1,1)$ のときは，先手必勝である．したがって，いずれの場合も，先手必勝か，後手必勝となるので，$P(n+1)$ が成立する．

なお，ドミノ倒しで「$P(n)$ ならば，$P(n+1)$」ということは，n 番目のドミノが倒れるならば，$n+1$ 番目のドミノも倒れることである．ドミノ倒しでは，ドミノはこのように配置される．これで証明は終わる．

8．以下のシルバーらの論文は，第1講で説明した李世乭と対戦した，これまでアルファ碁と呼んでいた囲碁プログラムを学術論文として取りまとめたものである．このプログラムは，後に，AlphaGo と呼ばれるようになった．AlphaGo は，この講で説明する AlphaGo Zero と違い，プロ棋士の棋譜を用いて教師あり学習をし，自己対戦により強化学習する．この論文では，囲碁のゲーム木複雑さは，250^{150} とされることも述べている．

David Silver et al.,“Mastering the game of Go with deep neural networks and tree search”, *Nature*, vol. 529, 2016.

9. この注では，第7講の図7.8の$a_t \sim \pi_t$が意味するところを説明する．これは，t番目のアクションa_tは，$a_t \sim \pi_t$により選択することを意味している．つまり，アクションa_tは，

$$p_i = \frac{N(s, a_i)}{N(s, a_1)+\ldots+N(s, a_m)} \qquad (1)$$

とするとき，確率分布$\pi_t = (p_1, \ldots, p_m)$で高い確率$p_i$が割り当てられている$a_i$を選択する．実際のシミュレーションでは，この選択は微妙にコントロールされている．第1局の初めの30手までは，アクションは確率分布$p_i = (p_1, \ldots, p_m)$のもとで確率的にa_tを選択し，31手以降は$\pi_t = (p_1, \ldots, p_m)$で最大の確率のアクション$a_t$を選択する．このアクションの選択でも，探索と活用のバランスをとっている．すなわち，初めは探索し，そのあとは活用するという戦略である．このように選択する確率分布は

$$p_i = \frac{N(s, a_i)^{1/\tau}}{N(s, a_1)^{1/\tau}+\ldots+N(s, a_m)^{1/\tau}} \qquad (2)$$

と表される．ここで，τ（タウ）は温度パラメータと呼ばれるものである．30手までは，$\tau = 1$とする．すると，(2)は(1)となり，その結果，アクションの枝の通過回数に比例してアクションa_tが確率的に選択される．それ以降は，τは微小な値に設定する．その結果，$1/\tau$は巨大な値となり，最大の通過回数の枝のアクションがa_tとして選択される確率はほぼ1に等しくなる（ただし，同じ最大の通過回数のものが2つ以上はないものとする）の

で，最大確率のアクションが a_t として選択される．以上の議論は，次の AlphaGo Zero の論文で説明されている．なお，$a_t \sim \pi_t$ の記号 $\sim$ は，“ほぼ等しい” ことや “確率分布に従う” ことなどの意味を表すものである．

David Silver et al.，“Mastering the game of Go without human knowledge”，*Nature*, vol. 550，2017.

10. クロスエントロピーと KL ダイバージェンスについて説明する．一つの量（数値）だけで表される量をスカラー量と呼ぶ．身長や体重やテストの点数はみなスカラー量である．一方，確率分布は一つの量では表すことができず，スカラー量ではない例である．ニューラルネットワークの出力がスカラー量の場合は，誤差は簡単に定義できる．たとえば，入力 v に対する正しい出力 $f(v)$ も，ニューラルネットワークの出力 $N_w(v)$ もスカラー量の場合は，$(N_w(v) - f(v))^2$ を誤差として定義すれば，誤差を小さくする重み更新で，$N_w(v)$ は正しい出力値に近づくことになる．

一方，入力 v に対する正しい出力が確率分布 $p = (p_1, \ldots, p_n)$ で与えられ，ニューラルネットワークの出力は確率分布 $N_w(v)$ となる．この場合，確率分布同士の近さや遠さの尺度を定義する必要がある．この尺度により誤差を定義し，スカラー量の場合と同じように，誤差を小さくする重み更新で，ニューラルネットワークが出力する確率分布 $N_w(v)$ を正しい確率分布 $f(v)$ に近づける必要があるからである．このような，確率分布の間の違いの尺度として，クロスエントロピーや KL ダイバージェンスと呼ばれるものがある．

これらの尺度について説明する前に，エントロピーについて説明する必要がある．**エントロピー**はクロード・シャノン（Claude Shannon）により導入されたもので，情報の量を測る尺度である．情報は形として見えるものではないので，その量を定義すること自体，イメージしにくい．そこで，具体的な例で考えてみよう．友人を訪ねてアパートの前についたが，どの部屋なのかわからない場合，友人に LINE で質問することはできるが，友人は YES/NO でしか答えることはできないとする．このような状況のもとで，友人の部屋を推測するとしよう．アパートは 2 階建ての正方形の建物で，各階は "田" の字に配置された 4 部屋からなるとする．すると，「1 階か」，「南側か」，「東側か」の 3 つの質問に YES/NO で答えてもらえば，部屋を特定することができる．質問により部屋を特定するまでをグラフとして表すとイメージしやすい．このグラフを図 S. 4 に示す．

このようなグラフは**決定木**（第 7 講で詳しく説明する）と呼ばれる．一番上の点 r は**ルート**（root）と呼ばれ，一番下の点 $l_1, \ldots, l_8$ は**リーフ**（leaf）と呼ばれる．ルートから始めて，3 つの質問に対する返答で，可能性が絞られていき，リーフに到達すると，部屋が特定されるようになっている．このときの返答の情報の量を**ビット**（bit）と呼

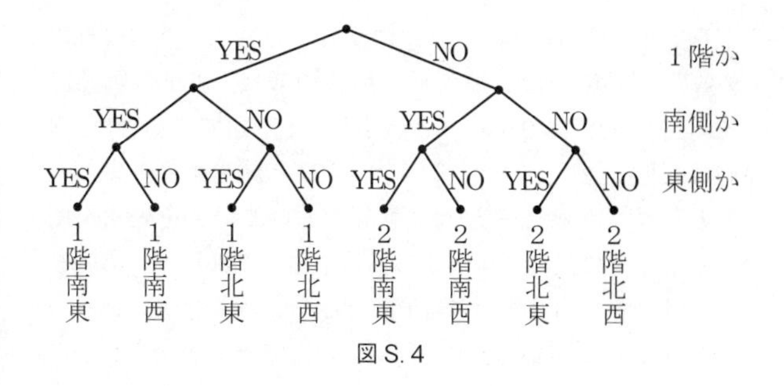

図 S. 4

ぶ．すなわち，2つの可能性のうちの一つを指定する情報の量の単位である．

この例では，質問を3回しているので，3ビットの情報により，友人の部屋を特定できるということになる．なお，友人はYES/NOで答えるという制約で考えたが，どんな質問をしてもよいとすると，たとえば，最初が「2階の南東か」という質問でもよい．YESが返ってくれば，1回の質問で部屋がわかるので，よさそうにもみえる．しかし，NOが返ってきた場合，7通りの可能性が残ってしまうので，この先2回の質問で特定できるとは必ずしも言えなくなる．必ず3回の質問で特定するためには，YESが返ってきても，NOが返ってきても，可能性の場合の数が半分となる質問が良い．ところで，アパートが先ほどの2階建てを2つ重ねた4階建ての建物で，16部屋あったとしたら，どうなるだろうか．この場合は，4回の質問で部屋を特定できる．1回の質問で残された場合の数を半分にするような質問であれば，2階建ての場合は，残される場合の数は，3回の質問で $2^3 \to 2^2 \to 2^1 \to 2^0 (=1)$ と減少し，4階建ての場合は，4回の質問で $2^4 \to 2^3 \to 2^2 \to 2^1 \to 2^0$ と減少する．まとめると，エントロピー H は，情報のあいまいさを表す尺度であり，その尺度に相当する情報を知らされれば，あいまいさは無く（あいまいさは0）なる．

これまでは，友人がどの部屋に住んでいるか全くわからない（不確かさが一様の）場合についてのエントロピーを説明したが，以降では，そうではない，一般の場合のエントロピーについて説明する．友人は眺望にこだわるタイプで，しかも，新築のアパートに入居したことがわかっていたとする．すると，西日に悩まされない2階の南東の角の可能性が高くなるかもしれない．このような，一般の場合のエントロピーを定義するため，友人が各部屋に住んでいる確率分布 $p=(p_1, ..., p_8)$ を定める．ただし，p_i は，友人が i 番目の部屋に住んでいる確率とする．ここで，$0 \leqq p_1 \leqq 1, ..., 0 \leqq p_8 \leqq 1$，$p_1 + ... + p_8 = 1$ とする．このように，事前情報がないときは，$p_1 = ... = p_8 = \dfrac{1}{8}$ となり，あるときは，適当に確率分布に偏りを持つことになる．

一般に，確率分布を $p=(p_1, ..., p_n)$ と表すと，エントロピーは

$$H = \sum_{i=1}^{n} p_i \log_2 \frac{1}{p_i}$$

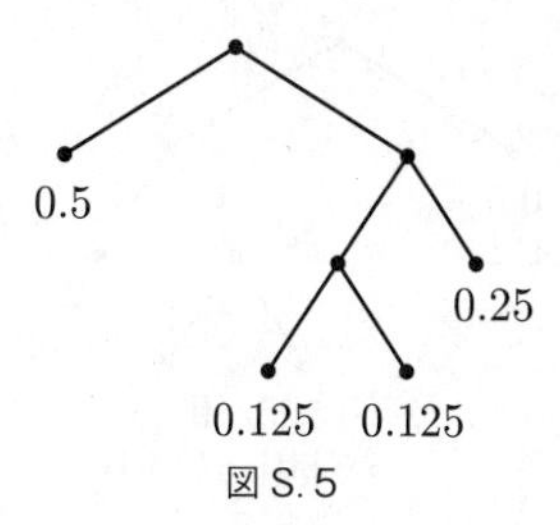

図 S. 5

と定義される．特に，確率分布 p が $p=(\frac{1}{8}, \ldots, \frac{1}{8})$ と表される場合，エントロピーは $\sum_{i=1}^{8} p_i \log_2 \frac{1}{p_i} = \frac{1}{8} \times 3 + \cdots + \frac{1}{8} \times 3 = 3$ となる．

一方，確率分布に偏りがあり，$p=(0.5, 0.125, 0.125, 0.25)$ と表される場合は，エントロピーは

$$
\begin{aligned}
H &= 0.5 \times 1 + 0.125 \times 3 + 0.125 \times 3 + 0.25 \times 2 \\
&= 1.75.
\end{aligned}
$$

となる．対応する決定木は図 S. 5 のようになる．

ここで，2 階建てのアパートの場合とすると，$\log_2 \frac{1}{p_i} = \log_2 \frac{1}{\frac{1}{2^3}} = \log_2 2^3 = 3$ となり，4 階建てアパートの場合は，$\log_2 \frac{1}{p_i} = \log_2 \frac{1}{\frac{1}{2^4}} = \log_2 2^4 = 4$ となる．このように，$\log_2 \frac{1}{p_i}$ は，すべての部屋の確率が同一である

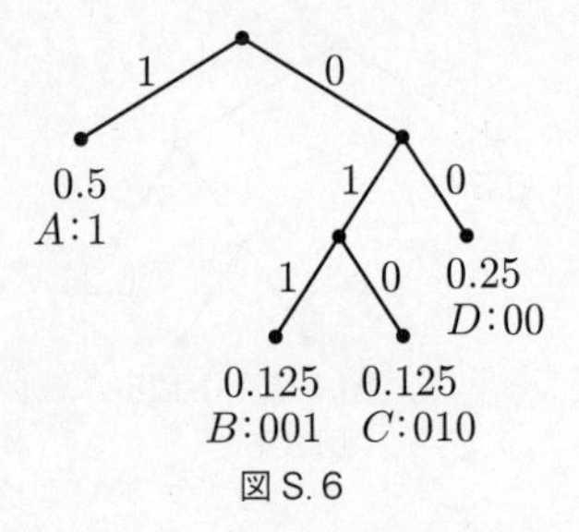

図 S. 6

場合の質問回数となる．これまでの例では，$\log_2 \dfrac{1}{p_i} = \log_2 \dfrac{1}{\frac{1}{2^m}} = \log_2 2^m = m$ と表されていて，$\log_2 \dfrac{1}{p_i}$ は，部屋の数が 2^m と表され，一様な確率分布の場合の，指数 m を表している．確率が小さいとそれに応じて質問の回数が増えるという関係にある．なお，エントロピーの一般式の場合は，整数に限定されるとは限らない．このように解釈すると，エントロピー H とは，質問回数に相当する量（整数とは限らない）に確率という重みをつけて総和をとったものとなる．質問回数の確率平均と言ってもいい．

エントロピー H には，質問回数の他に，符号化という重要な解釈もある，符号化の場合は，図 S. 6 のような符号木と呼ばれるもので表される．

確率分布 $p = (p_1, \ldots, p_n)$ で生起する信号をルートからリーフまでのパスに相当するパスで符号化するのである．この解釈では，このパス上の 1 や 0 をつないだ系列を符

号とみて，リーフに相当する記号をアルファベット $\{1, 0\}$ の系列として符号化する．各記号の生起確率が

$$\begin{pmatrix} A & B & C & D \\ 0.5 & 0.125 & 0.125 & 0.25 \end{pmatrix}$$

のとき，

$$\begin{pmatrix} A & B & C & D \\ 1 & 001 & 010 & 00 \end{pmatrix}$$

と符号化される．この例からもわかるように，エントロピー H の定義式に従った符号化では，生起確率が小さい信号には長い符号が割り当てられ，大きい信号には短い符号が割り当てられる．

上の例では，短い平均符号長となるような確率分布を取りあげた．一般の符号化に対しては，情報源符号化定理というものがあり，エントロピー $H(p)$ は平均符号長の下限を与えるということが知られている．上で述べたものは，この平均符号長がこの下限に一致するように，確率分布 P を設定した例である．

次に，クロスエントロピーと KL ダイバージェンスに進む．**クロスエントロピー**（cross entropy）とは，2 つの確率分布 $p = (p_1, \ldots, p_n)$ と $q = (q_1, \ldots, q_n)$ との間のズレを評価するためのもので，

$$H(p, q) = \sum_{i=1}^{n} p_i \log_2 \frac{1}{q_i}$$

と定義される．変形すると，

$$H(p,q) = \sum_{i=1}^{n} p_i \log_2 \frac{1}{q_i}$$
$$= \sum_{i=1}^{n} p_i \log_2 \frac{1}{p_i} + \sum_{i=1}^{n} p_i \log_2 \frac{1}{q_i} - \sum_{i=1}^{n} p_i \log_2 \frac{1}{p_i}$$

ここで，$p=(p_1, \ldots, p_n)$ は真の確率分布で，$q=(q_1, \ldots, q_n)$ はそれを近似する確率分布であると想定してもらいたい．たとえば，$q=(q_1, \ldots, q_n)$ はニューラルネットワークが出力する確率分布などの場合である．このように変形された式を，第1項の $\sum_{i=1}^{n} p_i \log_2 \frac{1}{p_i}$ と第2項と第3項からなる $\sum_{i=1}^{n} p_i \log_2 \frac{1}{q_i} - \sum_{i=1}^{n} p_i \log_2 \frac{1}{p_i}$ に分けて考える．第1項は真の確率分布 p のエントロピー $H(p)$ で，これは固定されている値である．第2項の $\sum_{i=1}^{n} p_i \log_2 \frac{1}{q_i}$ は，確率分布 q に基づいてつくる符号長 $\left\{\log_2 \frac{1}{q_1}, \ldots, \log_2 \frac{1}{q_n}\right\}$ について確率分布 $\{p_i, \ldots, p_n\}$ に基づく平均符号長を求める計算をしたものと解釈できる．すると，情報源符号化定理より，第2項－第3項 $\geqq 0$ が成立することとなる（この不等号は，式の変形で直接証明することもできる）．“第2項－第3項”は，2つの確率分布 p と q を“クロス”させて定義される値であるので，クロスエントロピーと呼ばれている．このように，クロスエントロピーは，2つの確率分布 p と q のズレを，$\left\{\log_2 \frac{1}{q_1}, \ldots, \log_2 \frac{1}{q_n}\right\}$ と $\left\{\log_2 \frac{1}{p_1}, \ldots, \log_2 \frac{1}{p_n}\right\}$ のズレに基づいて評価したものである．

そこで，“第2項－第3項”をKLダイバージェンス（Kullback-Leibler divergence）と呼び，次のように定義する．

$$D_{\mathrm{KL}}(p||q) = \sum_{i=1}^{n} p_i \log_2 \frac{1}{q_i} - \sum_{i=1}^{n} p_i \log_2 \frac{1}{p_i}$$

これまでの議論をまとめると，

$$H(p, q) = H(p) + D_{\mathrm{KL}}(p||q)$$

が成立し，H(p) は真の確率分布 p から決まる（固定された）値であるので，誤差関数をクロスエントロピーに基づいて定めても，KL ダイバージェンス $D_{\mathrm{KL}}(p||q)$ に基づいて定めても，学習の結果は同じことになる．

11．下記の論文は，生成 AI の生みの親とも言えるトランスフォーマーの論文である．この論文の著者8名のうち7名は，次の目標に向かうため，すでにグーグルを去っている．このように，技術者が新しいスタートアップを立ち上げるために，独立することはグーグルに限った話ではなく，ChatGPT のオープン AI でもディープマインドでも日常的に起きていることである．

Ashish Vaswani, Noam Shazeer, Niki Parmar, Jakob Uszkoreit, Llion Jones, Aidan N. Gomez, Łukasz Kaiser, Illia Polosukhin, “Attention is All you Need,” *Advances in Neural Information Processing Systems* 30（NIPS），2017.

12. 自然言語処理の基本となるワードエンベーディングはファース（John Firth）の下記の論文に根ざすものである．コーパスを用いて，2つの単語の文脈に現れる単語のセットをつくってみたとき，同じであれば，この単語の意味は同じとみなすという考え方である．

John Firth, *A Synopsis of Linguistic Theory, 1930–1955,* Special Volume of the Philological Society, Oxford University Press, 1957

13. トランスフォーマーのポジショナルエンコーディングでは，単語の順番をPOSで表す．このPOSを，ワードエンベーディングと同じ512次元ベクトル $p=(p_0, p_1 \ldots, p_{511})$ で表す．このベクトルの要素のうち偶数サフィックスの $(p_0, p_2, \ldots, p_{510})$ は周期の異なるsin関数を使って定め，残りの奇数サフィックスの要素 $p_1, p_3, \ldots, p_{511}$ は周期の異なるcos関数を使って定める．なお，8.8節では，POSを4次元ベクトル $p=(p_0, p_1, p_2, p_3)$ で表すものとして，図8.13と図8.14に示している．

まず，$p_0, p_2, \ldots, p_{510}$ の決め方から説明する．順番POSを表すベクトル p の $2i$ 番目の要素 p_{2i} を $PE(\mathrm{POS}, 2i)$ と表し，

$$PE(\mathrm{POS}, 2i) = \sin\left(\frac{\mathrm{POS}}{10000^{-\frac{2i}{512}}}\right)$$

と定める．この式は，$\mathrm{POS} \in \{0, 1, \ldots, 511\}$ の $2i$ 番目の要素を表すものである．この式から，すぐにはPOSを

表すベクトル $p=(p_0, p_1, ..., p_{511})$ をイメージすることはできない．そこで，各POSを表すベクトル p を縦一列に並べて，512×512 の行列をつくる．この行列では，行はPOSに対応し，列はベクトル p の要素 p_i を縦に並べたものに対応する．その上で，その i 番目の列に注目し，その数値の並びを見てみる．初めに注目するのは，$2i=0$ の列，すなわち，0番目の要素の列である．先の $PE(\mathrm{POS}, 2i)$ の式より，これは

$$\sin\left(\frac{\mathrm{POS}}{10000^{-\frac{2i}{512}}}\right) \approx \sin\left(\frac{\mathrm{POS}}{10000^{0}}\right)$$
$$\approx \sin(\mathrm{POS})$$

となる．これは，512×512 行列の最初の列から $0, 2, ...,$ 510 番目の要素をピックアップすると，POSを $\{0, 2, ..., 510\}$ 上を動かしたときの，$\sin(\mathrm{POS})$ の値が並んでいることを意味する．この値の並びは，短い周期の sin 関数がとる値に相当する．一方，512×512 の行列の最後から2番目の列から $0, 2, ..., 510$ 番目の要素をピックアップすると，POSを $\{0, 2, ..., 510\}$ 上を動かしたときの，$\sin\left(\frac{\mathrm{POS}}{10000^{-\frac{2\times 255}{512}}}\right)$ のとる値が並んでいる．これは，長い周期の sin 関数がとる値に相当する．というのは，$\frac{2\times 255}{512} \approx 0.996$ なので，

$$10000^{\frac{2\times 255}{512}} \approx 10000^{0.996}$$
$$\approx 9638.29,$$

となるため，

$$\sin\left(\frac{\text{POS}}{10000^{\frac{2\times 255}{512}}}\right) \approx \sin\left(\frac{\text{POS}}{9638.29}\right)$$

となるからである．POS が $\{0, 2, \ldots, 510\}$ 上で動いても，$\sin\left(\frac{\text{POS}}{9638.29}\right)$ の値はほとんど変化しない．

次に，要素 $p_1, p_3, \ldots, p_{511}$ の列の場合に進もう．順番 POS のポジションベクトルの要素 p_{2i+1} は

$$PE(\text{POS}, 2i+1) = \cos\left(\frac{\text{POS}}{10000^{\frac{2i}{512}}}\right)$$

で与えられる．cos 関数は sin 関数を $\pi/2$ だけシフトした関数であるから，$PE(\text{POS}, 2i+1)$ の値の変化は要素 $p_0, p_2, \ldots, p_{510}$ の場合と似たようなものとなる．

14. 下記の論文は，マルチヘッドアテンションの 8 個の上乗せの割合のパタンを分析したもので，必要なパタンは 8 個のパタンのうちの一部であること，必要なパタンは解釈できるものであること（たとえば，図 8.15 のような解釈），また，必要ではないと判断されるパタンのものを除外しても，性能がそれほど損なわれるものではないことを明らかにしている．

Elena Voita, David Talbot, Fedor Moiseev, Rico Sennrich, Ivan Titov, “Analyzing Multi-Head Self-Attention: Specialized Heads Do the Heavy Lifting, the Rest Can Be Pruned”, *Proceedings of The 57th*

Annual Meeting of the Association for Computational Linguistics, 2019.

15. テクノロジーについての月刊誌“Wired”（2023. 06. 27）に，アルトマンとハサビスの開発コストの発言の他，Gemini 開発の技術的な経緯についての記載がある．

あとがき

1952年に英国公共放送局BBCが人工知能に関する放送をしたとき，私は10歳だった．もちろん人工知能のことなど何も知らなかった．初めて知ったのは大学4年生のときで，授業でごく簡単な説明を聞いた．大学院の修士課程のとき大型計算機センター主催で開催された教員と学生を対象とした3日間の講習会に出席し，最終日の演習で，フォートランのプログラムをコーディングシートに手書きした．これを計算機センターに持っていき，オペレータに処理してもらい，翌日，ラインプリンターで出力された計算結果を郵便受けのようなボックスまで受け取りにいった．これがプログラムを書いた最初の経験である．60年近く昔のことになる．

卒業後は大学に残ることになったので，第2講で述べた人工知能研究のさまざまな歴史的な場面に立ち会うことができた．ネオコグニトロンの福島邦彦さんの発表を研究会で何回か聞いた．そのときは，とても特殊な計算モデルの話という印象をもった．人間の脳という，知能の存在証明とも言えるニューラルネットワークに基づいた最も確実な計算モデルという話を聞いても，なかなか理解できなかった．当時，毎年のように性能アップを繰り返しているコンピュータを目の前にして，ネオコグニトロンはとても特殊な計算モデルという印象にとらわれてしまった．また，

『第5世代コンピュータ』プロジェクトの話も何度か講演会で聞いた．このプロジェクトを率いていた渕一博さんは，「従来の人工知能用のプログラム言語LISPから決別し，論理プログラミングをベースとしてプロジェクトを進める」と，熱く高らかに宣言していた．ただ，私にはこのような“重い”計算の仕組みで本当に人工知能が実現できるのかという引っかかりが残った．

一方，この当時，私自身は計算の複雑さの研究に没頭していた．計算の問題には，やさしいものとむずかしいものがある．たとえば，足し算と掛け算を比べると，掛け算ののほうがむずかしいだろうということは，直観的にはわかる．このような計算の問題が持っている，問題に固有のむずかしさを数学的に厳密に導こうというのが，計算の複雑さの理論が目指すところである．

ところで，1980年に私にとって幸運な出来事があった．米国アイビーエムのトーマス・ワトソン研究所から客員研究員として招聘したいという申し出があり，大学を休職し，この研究所で14か月の研究生活を送る機会を得た．

わたしは，研究所の数学部門に所属したが，この部門には純粋数学の研究者の他に，計算の複雑さの分野などさまざまの分野の研究者がいた．論文でしか名前を知らなかった，トップレベルの研究者が周りに常時おり，とても刺激に満ちた研究環境だった．東京通信工業（現在のソニー）でエサキダイオードを発見し，この業績で1973年のノーベル物理学賞を受賞した江崎玲於奈さんも当時この研究所に勤務していたが，何回か研究所でお会いし，お話しする機会があった．日本の大学に勤め，質素な生活を送っていた私にとって，生活環境のすべてが別世界のものだった．研究者は勤務時間にテニスを楽しむことが許され，テニスコートの予約管理をするスタッフまで配置されていた．また，私の赴任と離任にあたっては，住居が決まるまでと，アパートを引き払い帰りの飛行機に乗るまでの間，それぞれ2週間ほど，滞在するホテルを用意してくれた．

出発前研究室の先輩に，コンピュータを製造し販売するアイビーエムが，なぜ大勢の研究者からなる基礎研究部門をかかえているのか，聞いてきてほしいと頼まれていた．そこで，お世話になっていた数学部門のディレクターのシュムエル・ウィノグラード（Shmuel Winograd）に尋ねたところ，返ってきた答えは，とても明解なものであった．「アイビーエムはコンピュータ業界のトップランナーなので，常に技術の障壁をブレイクスルーする技術革新を求められる．しかし，技術革新の果実だけを享受することはできない．これは，ニワトリの胸の肉を得るのに，クチバシと足のついたニワトリを育てなければならないのと同じだ．これは，理屈の話ではなく，世の中を大きく変えたこれまでの技術革新の歴史が教えてくれる事実である．このような理由で基礎研究部門を持っているので，極端な話，アイビーエムがMITキャンパスの隣にあるのであれば，基礎研究部門は必要ないかもしれない」とまで，言っていた．研究員にいつでもテニスコートを開放しているのは，単に遊ばせておくというのではなく，そうしたほうが成果が出るという判断があってのことだったのだろう．

米国滞在を終え，しばらくすると，計算の複雑さの理論のコミュニティでも新しい動きが起こった．このコミュニティが共有する手法を用いて，学習し賢くなっていくプロセスを解明しようとする動きだ．このアプローチは，あまりこなれた日本語ではないが，**計算論的学習理論**（computational learning theory）と呼ばれている．私はこのアプローチにすっかり魅了された．ここでいう学習とは，この本で説明してきた学習そのものだ．このアプローチにおいても，学習のためのデータはランダムに発生する．また，人工知能の枠組みでは，学習が完了すると $N_w(v) \approx f(v)$ が成立するが，新しいアプローチでも，$N_w(v) \approx f(v)$ に相当する条件（厳密に，$N_w(v) = f(v)$ を求めることはしない）を定式化する．このように，あいまいな側面を取り込んだうえで，**学習可能**という条件を厳密に定義して，計算の複雑さの理論の流儀に従い，学習プロセスに関する命題を導く．一言でおおまかにまとめると，この本で説明してきた学習の成果に相当するものを，数学的に定義された枠組みの上で，厳密に定義された命題として記述し，それを証明するという試みである．

この計算論的学習理論で証明される命題と，これまでの3つのブレイクスルーの成果を比較すると，ブレイクスルーの成果の特質がはっきりしてくる．

ブレイクスルーの成果は，それが意味のある結果であることを保証する，具体的な事実（棋士の李世乭に勝利することなど）やデータ（BLEU スコアなど）からなる証明書が必要となる．この証明書があるので，一般化のミステリーや最適化のミステリーのように，根本的な疑問点が残っていても許される．しかし，計算論的学習理論の成果は，厳密に証明される命題である．そのため，根本的な疑問点が入り込む余地がない．このような疑問点が残っていたら，成果として認められない．

計算論的学習理論は，ハーバード大学のレスリー・ヴァリアント（Leslie Valiant）が 1984 年に提唱したものである．この提唱にすっかり魅せられた私は，教授室を訪問し，その狙いをたっぷり時間をかけて説明してもらった．ヴァリアントは後年（2010 年）チューリング賞を受賞しており，受賞理由の主なものの一つにこの提唱があげられた．このような経緯で，研究室一丸となって計算論的学習理論に取り組み，1997 年には計算論的学習理論の国際会議を仙台で開催した．

（Ming Li, Akira Maruoka (eds.), Algorithmic Learning Theory: 8th International Workshop, ALT '97, Sendai, Japan, October 6-8, Springer, 1997.）

私は，大学時代に 3 人の先生に指導していただいた．これら 3 人の先生は，いずれもご自身の研究者としてのキャリアは情報以外の分野でスタートし，後年情報分野に移られた．私自身の研究テーマは，初めから情報分野であった．日本では他の大学でも同じような事情であったと思う．この意味で，私くらいの世代が日本では情報第一世代ということになる．自分自身では意識することはなかったが，節目節目での選択の結果，人工知能の研究の流れに付かず離れずの道筋を並走してきたことになる．

最後に，この本の内容を，これまでとは別の視点から見てみよう．第3次と第4次のAIブームでは，ブレイクスルーと呼ぶにふさわしい大きな成果が次々と得られた．これらの成果は，膨大なトレーニングデータと超絶したコンピュータパワーがあって初めて可能となるものである．そのため，どうしてもこちらのほうが注目されがちである．しかし，これらは言わば力業ともいえる領域の話だ．最近のAI研究の核心は，これらの力業を使って人間の知能のレベルを超えるものを生み出す，精妙な計算の仕組みにある．この計算の仕組みは，第3次AIブーム以降の突出した研究者たちのひらめきとアイディアの詰まった宝物と言っても言い過ぎではない．今のところ，この計算の仕組みを考え出せるのは，人間の頭脳だけだ．これらのブレイクスルーは，人間の脳の働きのすばらしさを感じさせてくれるものであり，とても味わい深いものでもある．この本では，最近のAI研究を代表する3つのブレイクスルーに焦点を合わせ，それらの計算の仕組みの基本となるところは，一切省略することなく，すべてを解き明かした．

出版までには，いろいろの方のお世話になった．私の家族には資料の収集や図の作成，そして推敲も協力してもらった．岡山大学客員研究員の神保秀司さんには，アルファ碁に関する資料を送ってもらい，相談に乗っていただいた．また，筑摩書房の渡辺英明さんには，遅筆な私を励ましてもらい，さまざまなご配慮をいただいた．厚く御礼を申し上げる．

2023 年 11 月

丸岡　章

索　引

アルファベット・数字

ア　行

カ 行

サ 行

タ　行

ナ　行

ハ　行

マ 行

ラ 行

ワ 行

本書は「ちくま学芸文庫」のために書き下ろされたものである。

相対性理論(下)
W・パウリ
内山龍雄訳
アインシュタインが絶賛し、物理学者内山龍雄をして、研究を措いてでも訳したかったと言わしめた、相対論三大名著の一冊。(細谷暁夫)

調査の科学
林知己夫
消費者の嗜好や政治意識を測定するとは? 集団特性の数量的表現の解析手法を開発した統計学者による社会調査の論理と方法の入門書。(吉野諒三)

インドの数学
林隆夫
ゼロの発明だけでなく、数表記法、平方根の近似公式、順列組み合せ等大きな足跡を残してきたインドの数学を古代から16世紀まで原典に則して辿る。

幾何学基礎論
D・ヒルベルト
中村幸四郎訳
20世紀数学全般の公理化への出発点となった記念碑的著作。ユークリッド幾何学を根源まで遡り、斬新な観点から厳密に基礎づける。(佐々木力)

素粒子と物理法則
R・P・ファインマン/S・ワインバーグ
小林澈郎訳
量子論と相対論を結びつけるディラックのテーマを対照的に展開したノーベル賞学者による追悼記念講演。現代物理学の本質を堪能させる三重奏。

ゲームの理論と経済行動I(全3巻)
ノイマン/モルゲンシュテルン
銀林/橋本/宮本監訳
阿部/橋本訳
今やさまざまな分野への応用いちじるしい「ゲーム理論」の嚆矢とされる記念碑的著作。第I巻はゲームの形式的記述とゼロ和2人ゲームについて。

ゲームの理論と経済行動II
ノイマン/モルゲンシュテルン
銀林/橋本/宮本監訳
銀林/下島訳
第I巻でのゼロ和2人ゲームの考察を踏まえ、第II巻ではプレイヤーが3人以上の場合のゼロ和ゲーム、およびゲームの合成分解について論じる。

ゲームの理論と経済行動III
ノイマン/モルゲンシュテルン
銀林/橋本/宮本監訳
銀林/宮本訳
第III巻では非ゼロ和ゲームにまで理論を拡張。これまでの数学的結果をもとにいよいよ経済学的解釈を試みる。全3巻完結。(中山幹夫)

計算機と脳
J・フォン・ノイマン
柴田裕之訳
脳の振る舞いを数学で記述することは可能か? 現代のコンピュータの生みの親でもあるフォン・ノイマン最晩年の考察。新訳。(野﨑昭弘)

オイラー博士の素敵な数式
ポール・J・ナーイン　小山信也訳

数学史上最も偉大で美しい式を無限級数の和やフーリエ変換、ディラック関数などの歴史的側面を説明した後、計算式を用い丁寧に解説した入門書。

遊歴算家・山口和「奥の細道」をゆく
鳴海風　高山ケンタ・画

全国を旅し数学を教えた山口和。彼の道中日記をもとに数々のエピソードや数学愛好者の思いを描いた和算時代小説。文庫オリジナル。（上野健爾）

不完全性定理
野﨑昭弘

事実・推論・証明……。理屈っぽいとケムたがられる話題を、なるほどと納得させながら、ユーモアたっぷりにひもといたゲーデルへの超入門書。

数学的センス
野﨑昭弘

美しい数学とは詩なのです。いまさら数学者にはなれないけれどそれを楽しめたら……。そんな期待に応えてくれる心やさしいエッセイ風数学再入門。

高等学校の確率・統計
黒田孝郎／森毅／小島順／野﨑昭弘ほか

成績の平均や偏差値はおなじみでも、実務の水準とは隔たりが！　基礎からやり直したい人のために伝説の検定教科書を指導書付きで復活。

高等学校の基礎解析
黒田孝郎／森毅／小島順／野﨑昭弘ほか

わかってしまえば日常感覚に近いものながら、数学挫折のきっかけの微分・積分。その基礎を丁寧にひもといた再入門のための検定教科書第2弾！

高等学校の微分・積分
黒田孝郎／森毅／小島順／野﨑昭弘ほか

高校数学のハイライト「微分・積分」！　その入門コース『基礎解析』に続く本格コース。公式暗記の学習からほど遠い、特色ある教科書の文庫化第3弾。

算数・数学24の真珠
野﨑昭弘

算数・数学には基本中の基本〈真珠〉となる考え方がある。ゼロ、円周率、＋と－、無限……。数学のエッセンスを優しい語り口で説く。（亀井哲治郎）

数学の楽しみ
テオニ・パパス　安原和見訳

ここにも数学があった！　石鹼の泡、くもの巣、雪片曲線、一筆書きパズル、魔方陣、DNAらせん……。イラストも楽しい数学入門１５０篇。

ガウスの数論　高瀬正仁

青年ガウスは目覚めとともに正十七角形の作図法を思いついた。初等幾何に露頭した数論の一端！ 創造の世界の不思議に迫る原典講読第2弾。

評伝 岡潔 星の章　高瀬正仁

詩人数学者と呼ばれ、数学の世界に日本的情緒を見事開花させた不世出の天才・岡潔。その人間形成と研究生活を克明に描く。誕生から研究の絶頂期へ。

評伝 岡潔 花の章　高瀬正仁

野を歩き、花を摘むように数学的自然を彷徨した伝説の数学者・岡潔。本巻は、その圧倒的数学世界を、絶頂期から晩年、逝去に至るまで丹念に描く。

高橋秀俊の物理学講義　高橋秀俊／藤村靖

ロゲルギストを主宰した研究者の物理的センスとは。力について、示量変数と示強変数、ルジャンドル変換、変分原理などの汎論四〇講。（田崎晴明）

物理学入門　武谷三男

科学とはどんなものか。ギリシャの力学から惑星の運動解明まで、理論変革の跡をひも解いた科学論。三段階論で知られる著者の入門書。（上條隆志）

数は科学の言葉　トビアス・ダンツィク　水谷淳訳

数感覚の芽生えから実数論・無限論の誕生まで、数万年にわたる人類と数の歴史を活写。アインシュタインも絶賛した数学読み物の古典的名著。

常微分方程式　竹之内脩

初学者を対象に基礎理論を学ぶとともに、重要な具体例を取り上げ、それぞれの方程式の解法と解について解説する。練習問題を付した定評ある教科書。

対称性の数学　高橋礼司

モザイク文様等〝平面の結晶群〟ともいうべき周期性をもった図形の対称性を考察し、視覚イメージから抽象的な群論的思考へと誘う入門書。（梅田亨）

数理のめがね　坪井忠二

物のかぞえかた、勝負の確率といった身近な現象の本質を解き明かす地球物理学の大家による数理エッセイ。後半に「微分方程式雑記帳」を収録する。

飛行機物語　鈴木真二

なぜ金属製の重い機体が自由に空を飛べるのか？その工学と技術を、リリエンタール、ライト兄弟などのエピソードをまじえ歴史的にひもとく。

なめらかな社会とその敵　鈴木健

近代の根本的なバージョンアップを構想した画期的著作、ついに文庫化！ 複雑な世界を複雑なまま生きることはいかにして可能か。本書は今こそ新しい。

集合論入門　赤攝也

「ものの集まり」という素朴な概念が生んだ奇妙な世界、集合論。部分集合・空集合などの基礎から、丁寧な叙述で連続体や順序数の深みへと誘う。

確率論入門　赤攝也

ラプラス流の古典確率論とボレル‐コルモゴロフ流の現代確率論。両者の関係性を意識しつつ、確率の基礎概念と数理を多数の例とともに丁寧に解説。

現代の初等幾何学　赤攝也

ユークリッドの平面幾何を公理的に再構成するには？ 現代数学の考え方に触れつつ、幾何学が持つ面白さも体感できるよう初学者への配慮溢れる一冊。

現代数学概論　赤攝也

初学者には抽象的でとっつきにくい〈現代数学〉。「集合」「写像とグラフ」「群論」「数学的構造」といった基本的概念を手掛かりに概説した入門書。

数学と文化　赤攝也

諸科学や諸技術の根幹を担う数学、また「論理的・体系的な思考」を培う数学。この数学とは何ものなのか？ 数学の思想と文化を究明する入門概説。

微積分入門　W・W・ソーヤー　小松勇作訳

微積分の考え方は、日常生活のなかから自然に出てくるもの。∫や lim の記号を使わず、具体例に沿って説明した定評ある入門書。（瀬山士郎）

新式算術講義　高木貞治

算術は現代でいう数論。数の自明を疑わない明治の読者にその基礎を当時の最新学説で説く。「解析概論」の著者若き日の意欲作。（高瀬正仁）

ちくま学芸文庫

概説(がいせつ)　人工知能(じんこうちのう)
――ディープラーニングから生成(せいせい)AIへ

二〇二四年三月十日　第一刷発行

著　者　丸岡　章（まるおか・あきら）
発行者　喜入冬子
発行所　株式会社　筑摩書房
東京都台東区蔵前二―五―三　〒一一一―八七五五
電話番号　〇三―五六八七―二六〇一（代表）
装幀者　安野光雅
印刷所　大日本法令印刷株式会社
製本所　加藤製本株式会社

ISBN978-4-480-51234-5　C0155